신박하게 진로적성 문제를 물리치자

(신.진.문.물)

신박하게 진로적성 문제를 물리치자 (신.진.문.물)

발 행 | 2024년 08월 23일

저 자 | 원 일

펴낸이 | 한건희

펴낸곳 | 주식회사 부크크

출판사등록 | 2024.08.22(제2014-16호)

주 소 | 서울특별시 금천구 가산디지털1로 119 SK트윈타워 A동 305호

전 화 | 1670-8316

이메일 | info@bookk.co.kr

ISBN | 979-11-419-0191-2

신박하게 진로적성 문제를 물리치자 (신.진.문.물)

원 일 지음

CONTENT

들어가며

본 책은 급변하는 현대사회에서 치열하게 경쟁하는 사람들을 위하여 자신의 진짜 재능을 활용해서 조금 더 효율적으로 성공에 가까워질 수 있는 방법론을 제시하고자 함에 그 집필 목적이 있다. 따라서, 명리학 학습에 책을 활용하기 보다는 명리학이라는 학문이 제시하는 이정표를 어떻게 해석하는가에 초점을 맞추어 본 책을 읽기 바란다. 힘들게 하루하루를 버티며 사는 모든 사람들을 응원한다. 이 책을 통해서 조금이라도 편안한 내일을 맞이하게 된 사람이 한 명이라도 있다면, 이 책은 그 목적을 다한 것이라고 할 수 있다.

본 책을 집필할 수 있도록 올바른 명리학 체계를 세워 정성스레 그 내용을 가르쳐주신 창광 김성태 선생님께 무한한 감사의 인사를 올립니다. 또한, 이러한 체계적인 학습을 할 수 있도록 기회를 만들어준 허유 김동현 선생님께도 감사함을 표현합니다.

1. 진로를 보기 위한 명리학

조선의 MBTI

사람의 내적인 영역에 대한 호기심은 누구나 갖고 있다고 할 수 있다. 나 자신을 알고 싶어하는 사람들, 나와 다른 타인에 대해서 알고 싶어하는 사람들 등 사람이라면 어느 시대나 어느 상황이나 '인간의 내면'이라는 것에 대해 관심을 가졌다. 그렇게 자신을 알고, 자신과 비슷한 타인과 공감대를 유지하면서도, 상대를 알고 싶어하는 욕망이 내재되어 있는 것이 사람이라고 할 수 있다. 이렇듯 사람은 자신뿐 아니라 타인의 생각이나 성격, 관심사, 행동 모든 것을 관찰하고 타인에 대해 알고 싶어한다. 그게 순수 호기심에 의한 것 일수도 있고 잠재의식 속에서 타인을 지배하고자 하는 욕망이 투영된 심리에서 출발한 것일 수도 있다. 타인을 궁금해하는 경우도 있지만 아직 스스로에 대해서도 잘 모른다고 생각하는 경우에도 자신을 알고자 하여 이런 저런 척도로써 자신의 특성을 파악하려 한다. 한때 유행하던 혈액형별 성격 유형을 줄줄이 외고 다니는 사람도 있었을 정도로 인간은 개인의 심리나 성격, 행동패턴 등을 파악하여 그로써 타인과의 공감대를 형성하거나 성격 유형에 맞는 처세를 하기 위한 도구, 자신을 파악하기 위한 목적으로써 이러한 수단을 활용하였다.

근래에는 이러한 성격 유형 지표로 가장 주목받는 것이 MBTI (Myers-Briggs-Type Indicator)이다. MBTI는 의사이자 심리학자인 카를 구스타프 융의 분석심리학 이론을 바탕으로 하여 설계되었으며 에너지의 방향에 따라 외향 (E) 과 내향 (I), 인식의 방법론적 특성에 따라 감각 (S) 과 직관 (N), 판단 방식에 따라 사고 (T)와 감정 (F), 생활 양식에 따라 판단형 (J)과 인식형 (P)을 조합하여 사람의 성격을 16가지 유형으로 나누어 놓은 성격 유형 지표이다. MBTI가 설계된 목적은 제 2차 세계 대전 발발 후 강제 징병에 의해 인력과 노동 부족 현상이 나타나며 여성들의 사회 활동 참여가 증가함에 따라 성격 유형에 따라 적합한 일자리를 찾고자 하는 목적으로 1944년에 개발되었다. 결국, 내재된 부분에 대한 탐구를 통해서 사람이 어떤 일을 할 수 있는지를 알고자 하는 목적이 MBTI가 만들어진 이유라고 할 수 있는 것이다.

하지만 MBTI가 유행하기도, 만들어지기도 훨씬 이전부터 이 한반도 땅에는 이미 MBTI보다 정교하고 체계적으로 직무 적합도를 판단하는 기준이 있었으니 이름하여 조선의 MBTI, '사주명리학'이다. 사주명리학은 사람이 태어난 계절을 바탕으로 태어난 시점에서 본인에게 주어진 적성과 직무 능력 등을 파악할 수 있는 도구로써 오래도록 사용되고 연구되어왔고 나아가서는 세상을 살아가는 방식에 대해서 어떤 방식으로 사는 것이 가장 이상적인지를 알려주는 지표로 활용되어

왔다. 실제 조선시대에는 명리학 잡과 시험을 통해 중인계급의 관리까지 될 수 있었으며 『경국대전』, 『속대전』, 『대전회통』 등의 문헌에 명리학과의 관리를 선발했다는 내용이 서술되어 있기도 하다.

점술이라는 편견은 버려!

사주명리학이 적성과 직무능력을 판단하는 수단이라는 것에 대해서 많은 사람들이 의아해 할 수있다. 오히려 사주명리학은 일종의 점(占)술의 수단으로써 대다수의 사람들에게 인식되고 있다. 하지만, 이는 인식에 있어 큰 오류가 보편화된 것이라고 볼 수 있는 케이스이다. 개인적으로는 대한민국 국민의 특성상 사주명리학이라는 것이 무속신앙과 엮여 있는 이미지가 크기 때문이라고 생각한다.

사주명리학의 근간에는 '때에 맞춰 준비하다' 라는 정신이 담겨있다. 사주명리학은 유교적인 사상이 담겨있는 학문으로써 '군자(君子)'로써 행해야 할 덕목과 재능 그리고 세상을 살아가며 행동하는 처세 등의 내용을 파악하기 위한 수단으로써 연구되어왔다. 정해진 순리대로 기온의 변화, 습도의 변화를 통해 생명이 나고 자라며 결실을 맺고 죽음에 이르는 모든 과정이 정해져 있듯이 사람의 역할도 태어난 시점에서의 계절적 특성에 따라 어떤 역할과 임무가 주어져 있는지가 결정이 된다라는 것이 핵심이다. 여기에 봄에 싹이 피고 가을에 결실을 맺는 벼, 늦가을에 심어 5~6월에 수확하는 보리처럼 사람의 인생도 태어나고 꽃이 피어 결실을 맺는 시점이 개인별로 다 다르며, 결실을 맺기 위해서는 때에 맞춰 어떤 것을 해야하는지 알고자 하는 사상이 담겨있다. 태어난 '계절'이 '내가 속한 환경'이라는 관점에 이 환경에서 내가 갖고 있는 연, 월, 일, 시의 성분들이 어떤 대인 관계를 나타내는지를 더하여 사주명리학적 해설이 도출된다.

결국 나의 재능과 임무, 대인관계와 처세 등을 파악할 수 있는 수단이 사주명리학이므로 나의 사주 구성요소를 알게 되면 나에게 주어진 재능, 삶에 부여 받은 임무를 알 수 있고 나아가 대인관계에서의 처세를 바탕으로 크나큰 결실을 맺는 인생을 살 수 있는 수단으로 나의 사주를 사용하면 된다.

시간과 임무의 만남

사주 팔자는 4개의 기둥 (四柱)과 8개의 글자 (八字)라는 의미를 담고 있으며 사람이 태어나면서 얻게 되는 생년월일 시로 사주 팔자가 구성된다. 이러한 사주 팔자는 앞에서 말했듯 태어난 월에서 내가 해야 할 일과 나의 재능을 파악하고 나아가 태어난 월과 나라는 사람의 특징을 담은 '일간(日干)'으로 어떤 대인관계로써 살아가야 하는지를 알 수 있다. 이렇게 8글자로 구성된 4개의 기둥이 한 세트가 되어 내가 태어나면서 하늘로부터 받은 임무인 '명(命)'을 알 수 있다. 쉽게 풀어서 말하자면 내가 가을에 수확하는 벼인지 초여름에 수확하는 보리인지 겨울에 수확하는 귤인지를 파악하고 어떻게 살아야 하는지를 파악하는 수단이 사주 팔자에 녹아 있다.

여기서 한가지 개념이 더 추가가 되어야 '명리(命理)'라는 '하늘로부터 부여 받은 명령의 이치'를 따지는 것이 성립한다. 이 개념을 '운(運)'이라 한다. 운(運)이라는 한자의 뜻을 검색해보면 ①운반하다, ②궁리하다, ③운용하다 등의 뜻이 명리학적 '운(運)'의 의미에 가장 적합하다고 할 수 있다. '나'라는 사람이 하늘로부터 받은 명령을 담은 삶을 어떻게 시간에 따라서 운반해나갈 것인지, 성공가도를 걷고자 나의 삶을 살아가는 방식에 대해서 계속해서 궁리하게 되며 나의 삶을 운용하는 방식에 대해서 고민하기 때문이다. 상투적으로 쓰이는 '운이 따라줘야 한다', '운이 좋았다' 라고 하는 것은 명리학적으로 해석하자면 '때에 맞게 한 것이다' 라고 이해할 수 있다.

결국 '운명(運命)'이라함은 내게 부여 받은 재능과 적성, 대인관계법 등을 갖고 자신의 삶을 운용해 나가는 것이다. 여기에 시간적인 개념으로써 특정 시점에서 마땅히 해야 할 일을 하면서 성공하는 삶으로 점점 가까워지게끔 삶을 운용하는 것이라 할 수 있다. 주어진 것을 시간 변화에 맞추어 사용하는 것이 '운명'의 명리학적 의미이다. 열매를 따는 기술이 좋은 사람이 봄에 열매를 따려는 행동은 시기 적절하게 자신의 재능을 사용하는 것이 아니다. 아인슈타인이 1900년대에 '시간' 이라는 차원에 대해 밝혀내기 1000년 전부터 명리학에서는 시간의 중요성을 담아 때에 맞게 자신의 재능을 활용하여 성공하는 삶을 살아가는 방법에 대해 연구하고 있었던 셈이다.

본 책에서는 '운'과 '명' 중에서 '명'에 대해 설명해보려 한다. 사람이 태어나면서 갖게 되는 재능과 그 재능을 펼치는데 활용할 수 있는 보조능력에 대한 설명을 서두를 시작할 것이다. 여기에 지속적으로 재능을 개발하고 발전시키려는 힘, 자신의 재능을 구현하는 방법 등에 대해서 설명하고 주어진 일 이외에 한눈을 팔게 되는 이유, 현시대에 N잡러로 살아가는 방법 등에 대해서 다뤄볼 것이다.

2. [용신], 나의 성공을 부르는 재능은?

태어나면서 받는 8종류의 재능

DNA란 인간이 부모로부터 물려받은 성분을 의미한다. DNA가 어떤 구성으로 갖춰져 있냐에 따라 아빠를 닮을 수도, 엄마를 닮을 수도 있으며 나아가 신체적인 특성이나 재능의 측면도 DNA에 의해 결정된다고 한다.

사주 명리학에서도 이러한 DNA와 같은 성분이 있다. 이를 '용신 (用神)' 이라 칭하며 '하늘로부터 주어진 내가 사용할 수 있는 정신'의 의미로 해석된다. 따라서, 인간은 누구나 태어나면서 개인에게 부여되는 고유의 재능인 '용신'을 갖고 태어난다. 이러한 용신은 개인이 태어난 계절과 시점에 의해 결정되며 총 8가지의 용신이 존재한다. 태어난 계절과 시점에 따른 용신을 표로 정리해보면 다음과 같다.

용신	시점 (대략적인 절기의 양력 날짜를 표기)
계수(癸水)	동지~입춘 (12월 21일~2월 3일)
갑목(甲木)	입춘~춘분 (2월 4일~3월 21일)
을목(乙木)	춘분~입하 (3월 21일~5월 4일)
병화(丙火)	입하~하지 (5월 5일~6월 21일)
정화(丁火)	하지~입추 (6월 21일~8월 6일)
경금(庚金)	입추~추분 (8월 7일~9월 21일)
신금(辛金)	추분~입동 (9월 21일~11월 7일)
임수(壬水)	입동~동지 (11월 8일~12월 21일)

용신은 자신이 태어나면서 하늘로부터 부여 받은 재능이다. 따라서, 본인이 가진 용신을 잘 활용하면 자신이 태어나면서 받은 능력을 사용하며 살아가는 것이기 때문에 세상의 순리대로 살게 되어 성공하는 인생을 살 수 있게 된다.

나는 인문형 인재? 산업형 인재?

 앞서 표에 정리되었던 8개의 용신을 동지와 하지를 기점으로 나누게 되면 계수, 갑목, 을목, 병화의 한 그룹, 정화, 경금, 신금, 임수의 한 그룹으로 나눌 수 있다. 앞의 그룹을 '인문 분야 용신', 뒤의 그룹을 '산업 분야 용신'이라고 칭한다.

인문 분야 용신	산업 분야 용신
계수(癸水)	정화(丁火)
갑목(甲木)	경금(庚金)
을목(乙木)	신금(辛金)
병화(丙火)	임수(壬水)

 용신을 이해하는 방법에는 식물의 삶에 빗대어 생각해보는 것이 비교적 쉽게 용신을 이해할 수 있는 방법이 된다. 식물은 항상 시절과 때에 맞춰 해야 할 일을 하기 때문이다. 계 갑을병은 식물에 싹이 나고 직접 성장하는 기간인데 이를 사람의 삶에 빗대자면 사람이 태어나 특정 지식을 배우고 익혀 성장해 나가는 것과 같은 과정이므로 인문 영역이라고 할 수 있다. 다음으로 정경신임의 경우엔 식물이 열매를 맺고 그 중 우수한 종자를 골라 다음 세대로 퍼트리는 과정을 의미한다. 이를 사람의 삶에 대입하면 물건을 만들어내고 이 물건에 상품성을 부여하여 여러 곳으로 퍼트리는 행위와 같으므로 산업 분야라고 할 수 있다.

앞의 구분은 용신의 범주를 나누는 것에 있어 대략적인 이해를 돕기 위해 큰 범주에서 인문분야와 산업분야로 나눈 것이나, 인문 분야에 태어났다고 반드시 인문 영역에서만 종사하는 것이 아니고 반대로 산업 분야에 태어났다고 반드시 산업 영역에만 종사하는 것은 아니다. 공장에서 근무하고 있지만 인사팀에서 근무하고 있는 경우엔 필드는 산업이지만 엄밀하게는 인문 영역의 일을 하고 있는 것이다. 이와 같이 실제 업무의 성격을 용신과 결부하여 이해하는 것이 용신이 가진 재능을 펼치는 방법을 이해하기에 적합하다.

이론중심 vs 실전중심

이번에는 각 용신을 이론 중심 분야와 실전 중심 분야로 나누어서 구분해보겠다. 이론 중심 분야는 사람이 중심이 되는 분야에서는 인문학, 사회학, 경제학, 정치학 등의 원론적인 이론을 다루거나 사물이 중심이 되는 분야에서는 물리학, 화학, 생물학, 지질학 등의 과학적 기초가 되는 분야에 종사한다. 학문이 아닌 영역으로 설명하자면 글쓰기, 그림 그리기, 나타내기, 만들기, 효율 고려하기, 원리 공부하기 등의 활동으로도 해석할 수 있다. 용신 중에서는 계수, 갑목, 정화, 경금이 이러한 이론 중심 분야에 재능을 나타내는 것이라고 할 수 있다.

실전 중심 분야는 을목, 병화, 신금, 임수 용신이 속하는 분야를 일컫는다. 글자 그대로 실전이라는 것은 이론 중심 분야의 용신이 발현되어 만들어진 결과들을 토대로 인문영역이나 산업영역에 실제로 적용하는 재능을 의미한다. 따라서, 학문으로는 마케팅, 광고/홍보, 물류학, 공학, 심리학 등의 분야로 설명 가능하며 학문이 아닌 영역으로는 HR, 인사관리, 품질관리, 유통, 심리상담 등의 범주로 설명할 수 있다.

상기에서 이론 중심 분야도 실전 중심 분야도 모두 예시로써 이해를 돕기 위함이 목적이었기 때문에 **용신이라는 것이 예시로 제시한 분야에만 재능이 국한되는 것이 아님을 반드**

시 숙지하였으면 한다. 가령, 대학교 생물학과 교수라고 하면 이론 중심 분야에 해당할 것 같지만 의외로 을목, 병화, 신금, 임수의 실전 중심 분야 용신인 경우도 존재한다. 잘 생각해 보면 교수라고 하여도 연구를 열심히 해서 자신의 명성을 드러내는 교수도 있고, 열심히 갈고 닦은 이론을 바탕으로 을목, 병화, 신금, 임수와 같이 강의로써 자신의 재능을 드러내는 경우도 있다. 따라서, 대학교수라고 하는 이론 중심의 영역에 있는 것 같은 사람들도 사실은 경우에 따라 실전 중심 분야의 용신을 사용하고 있는 케이스가 존재한다. 이처럼 최종적으로 직업 활동에서 주로 하는 것이 무엇이냐에 따라서 이론 중심 분야, 실전 중심 분야 용신의 재능이 드러나게 된다.

계수(癸水) 용신

동지~입춘 사이에 태어난 사람은 계수가 용신이 된다. 계수 용신은 '지식'이 재능으로 주어졌다. 선천적으로 모든 것을 다 안다는 의미가 아니라 어떤 일을 하는 것에 대한 노하우와 지식을 축적하는 재능을 의미한다. 계수 용신의 키워드는 '지식', '기획', '생각', '창의성', '전략', '감수성', '영감' 등이 있다.

동지부터 입춘 사이의 시기에는 한겨울이다. 아직 추위가 맹렬하며 사람들은 추위를 견디고자 두꺼운 옷으로 꽁꽁 싸매고 다니는 일이 일상이다. 하지만, 매서운 칼바람이 코끝을 시리는 지상과 달리 땅 속에서는 한창 습기가 피어오르기 시작한다. 땅속은 바깥과 달리 비교적 따뜻한 온도로 유지되고 있기 때문에 흙 사이 사이에 습기가 머물러 흙 속의 빈공간을 채우기 시작한다.

여기서 습기가 지식과 같은 성질이라고 할 수 있다. 습기는 결국 씨앗에 스며들어 씨앗의 발아를 유도하듯이 계수는 지식으로 해석이 되며 자기 자신을 키우거나 잠재 능력이 있는 후학들을 키워낼 수 있는 재능으로 작용한다.

추천 진로 학과: 어문학과 계열 (국어국문학, 영어영문학 등), 종교학, 역사 관련 (사학과, 고고학 등), 철학과, 법학과, 생명자원과, 자연과학 계열 (물리, 화학, 생물, 지질/환경과학과) 등

추천 직종: 행정직, 교수/교사, 성직자, 자연과학 연구개발업 등

[추천학과와 추천직종은 상기로 국한되지 않는다!]

갑목(甲木) 용신

입춘~춘분에 태어난 사람은 갑목이 용신이 된다. 갑목은 '표현력'이라는 재능으로 나타난다. 갑목 용신의 키워드는 '표현', '글쓰기', '시작', '반복숙달', '의식주분야', '교육', '영유아•아동' 등이 있다.

입춘부터 춘분 사이에는 아직은 바람이 매서우나 서서히 따뜻해지는 것이 느껴지는 시기다. 사람들도 두꺼운 옷에서 비교적 얇은 옷을 입고 다녀도 될 수준으로 인식한다. 매서운 바람은 한풀 꺾였으며 햇빛이 비교적 포근하게 느껴지는 시기다. 땅속에서는 습기를 머금어 발아를 시작한 씨앗에서 싹이 올라오기 시작한다. 잘 생각해보시라. 씨앗의 표면도 단단한데 그 표면도 뚫어버렸고 나오자마자 흙도 모두 뚫고 올라온 것이 새싹이다.

갑목은 이렇게 씨앗을 활용하여 나타나는 결과를 의미한다. 지식을 활용하여 나타내는 특성을 의미하므로 배우고 익힌 것을 표현하는 능력, 무형의 어떤 것을 나타내는 능력과 같은 재능이 부여되었다고 할 수 있다. 또한, 갑목은 새싹과도 같이 폭발적인 추진력을 의미하기도 한다.

추천 진로 학과: 교육학 (초등교육, 교육공학, 진로진학, 특수교육 등), 언어교육 및 통번역 (국어교육, 영어교육, 통번역학과 등), 심리학과, 행정학과 등

추천 직종: 교수/교사, 보육과 사회복지 (어린이집 교사, 사회복지사, 노인요양원 종사자 등), 통번역가, 심리치료사, 행정직, 공무원

[추천학과와 추천직종은 상기로 국한되지 않는다!]

을목(乙木) 용신

춘분~입하에 태어난 사람의 용신은 을목이다. 을목은 '시행착오'라는 재능으로 나타난다. 을목 용신의 키워드는 '체계화', '서비스', '실전·시도', '수정·보완', '응용이론' 등이 있다.

본격적으로 봄이 느껴지는 시기가 춘분에서 입하 사이의 시기다. 날씨는 포근하고 꽃놀이도 즐기러 가며 옷차림은 얇아진다. 사람들은 포근한 날씨에 행복해하며 즐기고 있을 때, 새싹이 돋아난 식물들은 본격적인 성장을 시작한다. 날씨도 따뜻하니 이제는 눈이 아니라 비가 내리며, 햇빛이 맹렬할 때는 과한 수분 손실을 막고자 뿌리에서부터 물을 끌어올린다. 벌레들도 나오기 시작하는 시기이므로 꽃을 예쁘게 피워 곤충을 유혹해서 꽃가루 전달의 수단으로 활용한다. 꽃가루를 전달받은 꽃에서는 수정이 일어나 열매를 맺는 첫 시작점이 된다.

인간은 즐기지만 꽃은 바쁜 시기가 바로 이 시기이다. 지난 시절 크나큰 희망을 품고 땅위로 올라왔고 이제는 상황에 따라 여러가지 대처를 하며 차근차근 식물 본연의 삶을 살기 위한 시스템을 갖춰나가기 시작한다. 을목 용신은 이렇게 실패를 두려워하지 않으며 잘못된 부분을 찾아내 수정하면서 체계 정립을 위한 여러가지 시도를 하는 재능이 주어져 있다.

추천 진로 학과: 환경과학 (보건환경과학과, 사회환경시스템공학부 등), 생활과학과, 소비자 아동학, 소비생활문화과, 미용과학, 뷰티산업과, 호텔경영학과, 외식산업 관련학과, 공중보건학과, 산업시스템학과, 안전공학과 등

추천 직종: 대인 서비스 종사자, 웨딩플래너, 뷰티코디네이터, 메이크업 디자이너, 네일아티스트, 애완동물관련 분야, 하우스 키핑 매니저, 호텔리어, 법률 관련 전문가, 보건관련 종사자 등

[추천학과와 추천직종은 상기로 국한되지 않는다!]

병화(丙火) 용신

입하부터 하지 사이에 태어난 사람은 병화를 용신으로 삼는다. 병화는 '운영·관리'의 재능이 주어져 있다. 병화 용신의 키워드는 '소통', '인력관리', '데이터 분석', '비전 제시', '운영 능력' 등이 있다.

식물은 싹을 틔우고 땅 위로 그 싹을 드러낸 후 광합성을 하기 시작한다. 광합성을 해야 식물이 살아갈 수 있는 에너지도 만들어내고 식물체 전반적으로 수분을 공급할 수 있게 된다. 이때, 태양은 식물이 광합성을 할 수 있게 해주는 역할을 하며 적절한 열기로 땅속에서 수분을 끌어올려주는 역할을 한다. 또한, 태양은 식물이 자라나는 방향을 설정해주는 '인도자'와 같다. 해바라기는 태양을 따라서 움직이므로 태양의 위치에 의해 꽃이 향하는 방향이 결정된다. 다른 식물들도 마찬가지로 태양이 비춰지는 방향으로 자라난다. 태양은 이렇게 식물이 자라는 방향을 인도하는 역할을 한다.

병화 용신은 여러 상황을 대처하며 성장하는 식물을 케어하는 태양과 같이 전체적인 총괄 관리의 재능이 주어져있다. 낙오자는 끌어주고 선봉자는 격려하며 소통을 중심으로 전체적인 시스템을 아우르는 역량이 부여되어 있다고 할 수 있다. 자신이 성장시킨 모두가 결실을 맺는 것을 목표로 움직이면 된다.

추천 진로 학과: 항공운항과, 교통물류학, 국방경영학과, 재난관리공학과, 기업정보관리학과, 약학과, 한의예과, 간호학과 등

추천 직종: 운송업, 창고관리, 승무원, 보안 서비스업, 군인, 사회서비스 관리행정, 약사, 한의사, 간호사 등

[추천학과와 추천직종은 상기로 국한되지 않는다!]

정화(丁火) 용신

하지부터 입추 사이에 태어난 사람들이 갖게 되는 재능은 정화 용신으로 설명한다. 정화는 '기술'이 재능이라고 할 수 있다. 정화 용신의 키워드는 '기술력', '이공계', '기초과학', '수치·효율', '예체능' 등이 있다.

하지부터 입추의 시기에는 이미 먼 여정을 거친 식물은 열매를 맺을 준비를 한다. 식물은 열매가 탐스럽게 익어야 동물들이 그 아름다운 빛깔에 이끌려 열매를 섭취하게 되고 그로써 씨앗을 멀리까지 퍼트릴 수 있게 된다. 그러기 위해선 열매를 잘 익힐 필요가 있다. 열매는 과육이 커다랗고 푸짐해 보일 때 먹음직스러워 보이고 당도는 높을 때 많은 동물들이 이 과일을 다시 찾아오게 된다. 열매의 크기를 결정짓는 성분은 수분이다. 따라서, 환경이 충분히 건조해야 뿌리로부터 수분을 지속적으로 빨아올릴 수 있게 된다. 그렇기에 건조함은 과육의 생장을 돕는 환경 조건이 된다. 또한, 과육의 생장을 돕는 것 이외에도 건조함이 과육에 주는 효과는 당도를 높이는 작용도 있다. 수분이 증발하면서 과일 내 단맛을 내는 성분들이 농축되어 단맛이 더 강하게 느껴지게 된다.

정화 용신은 이렇듯 최적의 결과물을 내기 위한 조건을 고려하는 재능과 같다. 따라서, 효율을 중시하며 계산과 관련된 부분에 재능을 나타내기도 한다. 또한, 결과물이 사람이 되었을 때는 더 나은 퍼포먼스를 만들기 위해 고민하는 재능을 의미하기도 하므로 체육 분야에 재능으로도 나타내기도 하며 결과가 그림을 의미할 수 있기도 하기에 예술 계통에 재능으로도 발현된다.

추천 진로 학과: 건축/도시/토목공학과, 전자공학, 기계공학, 디자인관련 학과, 미술 관련 학과, 스포츠관련학과 등

추천 직종: 건설업, 엔지니어링, 패션디자이너, 제조업종 종사자, 만화가, 스포츠 서비스업 등

[추천학과와 추천직종은 상기로 국한되지 않는다!]

경금(庚金) 용신

입추부터 추분 사이에 태어난 사람들이 갖는 용신을 경금 용신이라 한다. 경금 용신은 '구현화'가 재능이라고 할 수 있다. 경금 용신의 키워드는 '생산·제조', '신체 단련', '산업 현장', '중화학공업', '그림', '나타내기' 등이 있다.

지난 시기에 열매를 만들기 위한 모든 효율을 고려하였으므로 이제는 진짜 열매 맺기에 집중할 때이다. 다른 모든 것은 다 신경쓰지말고 열매를 맺는데에만 집중하면 된다. 그렇기에 경금이 용신인 사람들은 무엇에 집중할지 선택을 하여 거기에 매진하면 되는 모습도 존재한다.

지난날 이미 어떻게 하면 열매를 맺을지 모든 계획이 세워졌다. 이제부터는 그 계획대로 잘 익어가기만 하면 된다. 계획에서 계산했던 효율을 바탕으로 구현을 해나가거나 원리를 적용하여 결과물을 만들어 내는 작업에 능하다. 그렇기에 응용과학, 공학 분야에 재능을 나타낼 수 있다. 눈에 보이도록 구현시키는 것, 효율성과 신체 작동 원리를 바탕으로 행동하는 것 등에도 재능을 보이기에 예체능에도 두각을 나타낼 수 있다.

추천 진로 학과: 생명공학, 화학과, 컴퓨터공학과, 체육관련 학과 (태권도학과, 사회체육학과, 생활체육학과), 의예과 등

추천 직종: 법과학자, 연구개발업, 화학자, 소프트웨어 개발자, 운동선수, 스포츠 감독 및 코치, 경기심판, 의사 등

[추천학과와 추천직종은 상기로 국한되지 않는다!]

신금(辛金) 용신

추분부터 입동 사이에 태어난 사람들이 갖는 용신을 신금 용신이라 한다. 신금 용신은 '고급화'의 재능이 있다. 신금 용신의 키워드는 '고도화', '최적화', '상품화', '디테일 추가', '부가가치 상승', '쓸모 있게 고치기' 등이 있다.

지난 시절 맺은 열매 중에서 좋은 품질의 것들을 골라내야 한다. 그래야 팔았을 때 높은 가치로써 상품으로 판매도 될 것이고, 그 중에 일부는 잘 보관했다가 이듬해에 그 품종으로 새롭게 농사를 지어 내년을 대비할 수 있기 때문이다. 그렇기 때문에 신금이 용신인 사람들은 가치를 높이는 작업과 함께 다음 세대로 전달될 것들을 골라내는 재능이 있다고 할 수 있다.

그렇기에 불필요한 것들을 잘라버리는 작업, 핵심만 추려내는 작업, 가치를 높이는 작업에 상당히 특화된 재능을 갖고 있다. 제품을 상품화 시키는 일, 지식을 발굴하는 일, 마케팅, 선별 작업, 핵심 인력 트레이닝, 기술 고도화 등에 있어서 타의 추종을 불허하는 재능을 갖고 있다고 할 수 있다. 다듬는다는 관점에 착안한다면 타인을 고쳐주는 의료계에서도 종사할 수 있는 재능이 부여되어 있다고 할 수 있다.

추천 진로 학과: 바이오관련 학과 (생명과학, 유전공학 등), 재료공학과, 문헌정보학과, 사범대학 등

추천 직종: 바이오 연구직, 목재/식품/광물/섬유 가공관련 제조업, 교수/교사 등

[추천학과와 추천직종은 상기로 국한되지 않는다!]

임수(壬水) 용신

　입동부터 동지 사이에 태어난 사람들이 갖는 용신을 임수 용신이라 한다. 임수 용신은 '전달'의 재능이 있다. 임수 용신의 키워드로는 '고급 지식 전달', '유통', '문화 교류', '선교', '경영' 등이 있다.

　우량품 선별이 끝난 후에는 이 우량품을 시장에 내놓아야 한다. 가치가 높은 상품을 시장에 내놓음으로써 높은 가격에 이윤을 남겨 이익을 취할 수 있다. 이 밖에도 우량품들을 잘 보관하여 다음 해에 전달해야 이듬 해에도 우량품으로부터 얻어낸 종자를 심어 새로운 수확물들을 얻어낼 수 있게 된다.

　상기의 내용을 종합하면 상품 유통이나 전달 작업 등이 임수 용신의 재능이라고 할 수 있다. 상품을 유통하고 판매하는 일, 높은 가치의 지식을 후학들에게 가르치는 일, 고급 정보를 전달하는 일 등이 임수 용신을 가진 사람들이 재능을 활용할 수 있는 분야로 볼 수 있다.

추천 진로 학과: 경영경제전공, 회계학과, 광고홍보학과, 물류경영학, 물류유통과 등

추천 직종: 경제학자, 세무사, 증권/금융관련직, 경영컨설턴트, 마케

팅관련직, 광고관련직, 운송업, 등

[추천학과와 추천직종은 상기로 국한되지 않는다!]

3. 재능을 있는 그대로 활용하는 [희신]

희신, 그 쓸모에 대하여

앞서 태어나면서 자신에게 고유한 재능으로 부여되는 용신을 살펴보았다. 하지만, 우리가 밥을 먹으려면 숟가락, 젓가락을 사용할 줄 알아야 밥을 먹을 수 있듯이, 용신도 그 온전한 사용을 위해서는 희신이라는 요소가 사주 내에 존재해야 용신을 사용할 수 있게 된다.

우리는 앞의 챕터에서 기초와 활용으로 나눠서 용신을 분류하는 방법을 다루었다. 계수, 갑목, 정화, 경금은 이론 중심 분야의 용신, 을목, 병화, 신금, 임수는 실전 중심 분야의 용신으로 분류되었다. 이때, 계수와 갑목은 서로가 서로의 희신이 되며 마찬가지로 정화는 경금과, 을목은 병화와, 신금은 임수와 함께 엮여 서로의 희신이 된다. 이를 표로 정리하면 다음과 같다.

용신	희신
계수(癸水)	갑목(甲木)
갑목(甲木)	계수(癸水)
을목(乙木)	병화(丙火)
병화(丙火)	을목(乙木)
정화(丁火)	경금(庚金)
경금(庚金)	정화(丁火)
신금(辛金)	임수(壬水)
임수(壬水)	신금(辛金)

너무도 매혹적인 그 녀석, '딴 짓'

고등학교 때, 수업을 듣는 학생들을 잘 살펴보면 수업에 집중하는 학우, 딴 생각하는 학우, 자는 학우 등 여러 모습의 학생들을 볼 수 있다. 수업에 집중하는 학우를 제외하고는 모두 학교 공부가 지루하거나 다른 분야에 관심이 더 많아서 다른 생각을 한다거나 아니면 믿거나 말거나 전날 자기가 관심있는 분야에 대해 너무 공부를 열심히 하여 수면부족으로 인해 잠을 자는 사람들이라고 할 수 있다. 분명 학교에 가서는 공부를 해야한다는 것을 모두 알고 있지만, 왜 태도의 차이가 나타나는지 의아해지는 부분이다.

상기 사례에서 학교 공부에 집중을 하지 못했던 사람은 공부 외적 관심사가 많았기에 학교 공부에 집중하지 못했다고 할 수 있다. 하지만, 그들의 관심 분야에 대해서는 전교 1등보다 훨씬 우수한 재능을 보일 수도 있는 노릇이다. 성적은 영 시원치 않은 수준으로 받을지언정, 게임에 대해서는 전국 랭킹 1위를 예시로 든다면 조금 이해가 갈 것이다.

우리의 재능도 마찬가지다. 학교에서 수업에 집중하던 학생처럼 용신을 사용하는데 있어 주어진 그대로의 재능을 활용하려는 사람이 있는 반면, 주어진 재능 이외의 다른 관심사에 더 초점을 맞추어 주어진 재능보다 다른 분야에 집중하는 사람이 존재할 수 있다. 희신의 유무는 이렇게 주어진 재능에 집중을 할지, 다른 분야에 관심이 가질지를 결정해주는 요소가 된다. 희신이 없는 경우에 관심사에 비중을 둘 확률이 매우 높게 나타난다.

있는 그대로를 받아들이는 사람

학교에서 공부를 열심히 하던 친구들은 주어진 일을 하는 데 있어서 크게 불평을 하지 않았을 사람들이다. 학교는 공부를 하는 곳이기 때문에 공부를 하는 것이 당연하다고 생각하고 공부를 했을 가능성이 크다.

우리가 태어나면서 하늘로부터 부여 받은 재능을 활용하는 것에 있어서도 순순히 그 재능을 활용하는 사람들이 있다. 이런 경우는 희신이 사주 내에 있는 경우를 예시로 들 수 있다. 희신이 사주 내에 있는 사람들은 용신을 사용하는 것이 당연하므로 자신의 재능을 활용하는 것이 당연하고 그래야만 한다고 생각한다. 그렇기에 별로 불평 불만이 없이 주어진 재능을 활용하며 살아가게 된다.

계수 용신과 희신

앞서 계수가 용신일 때는 지식과 아이디어를 다루는 것을 주된 능력으로 사용할 수 있다고 설명하였다. 이때 이러한 지식과 아이디어를 표현해내는 능력이 뛰어나다면 그 지식과 아이디어가 남들로부터 인정을 받고 설득력을 갖추어 일상에 활용될 확률이 커질 수 있다. 따라서, 계수 용신은 표현력을 갖췄을 때 그 재능이 더욱 빛을 발할 수 있으며 갑목이라는 희신으로 표현력을 갖춘다고 할 수 있다.

갑목 용신과 희신

갑목 용신이 희신이 아닌 용신일 때는 표현력이 재능이 되는 것과 같다. 단, 이때는 표현할 수 있는 것들이 필요하게 된다. 어떤 지식이 될 수도 있고, 스스로 생각해낸 아이디어가 될 수도 있으며 나아가서는 어떤 흥미로운 이야기 소재, 그 밖에도 보이지 않는 영역으로 생각하면 음악적인 '악상' 등이 표현할 소재로도 사용될 수 있다. 그렇기에 이러한 특성을 나타내는 계수가 갑목의 희신이 된다고 할 수 있다.

을목 용신과 희신

을목 용신은 이제는 땅 위로 자라난 새싹이 본격적인 성장을 하는 것과 같다 했다. 따라서, 을목 용신은 시행착오를 거쳐 새로운 하나의 체계를 만드는 재능을 의미했다. 이 때, 성장을 하는 식물이 잘 클 수 있도록 해주는 것은 '햇빛'이 된다. 식물이 해가 있는 방향으로 성장을 하듯 햇빛은 식물의 성장 방향을 잘 잡아주고 식물의 꼭대기까지 물이 올라오도록 잎에서의 수증기 생성 작용도 돕기 때문이다. 그러므로 을목 용신에게는 병화라는 희신이 보조 역할을 해줌으로써 을목 용신의 재능을 보조하게 된다.

병화 용신과 희신

병화 용신은 겨울을 이겨내고 싹을 틔운 새싹이 적당한 성장을 거쳐 꽃을 피운 시점이라 할 수 있다. 여태까지 성장해 오면서 얻어낸 노하우와 경험을 바탕으로 꽃을 피워냈기 때문에 이제는 현재까지 살아온 방식으로 주변 환경을 관리만 하는 되는 상황에 놓이게 된다. 즉, 병화 용신의 경우에는 자신의 경험하며 쌓아온 노하우를 바탕으로 주변 환경을 관리하는 재능이 부여된 것이라 할 수 있다. 그렇기에 병화 용신은 삶의 노하우라는 것이 재능을 펼치는데 도움을 준다. 그러므로 이러한 노하우를 상징하는 을목이 병화의 희신이 된다.

정화 용신과 희신

　정화 용신은 꽃을 탄생시킨 이후 열매라는 것을 맺기 위한 2차적인 목표가 생겨난 시점과 같다. 그렇기에 어떻게 하면 열매를 더 잘 맺을 수 있는지에 대한 고민을 하는 시점이며 그 밖에도 수확량을 늘리기 위한 효율도 따져보고 열매의 모양이나 빛깔 등을 고려하는 등의 역할 및 열매가 단단하도록 만들어내는 것에 대한 관심이 재능으로 부여되어 있다. 열매를 더 잘 맺는 방법을 찾고자 기초 원리, 과학적인 이론 등에 대한 관심으로 나타나며, 수확량을 늘리기 위한 효율을 고려하기 때문에 숫자를 활용한 작업에 능통하다. 또한, 모양이나 빛깔 등을 고려하는 것은 예술적인 재능으로 나타나고 열매를 단단하게 만들려는 관심은 자신이나 타인의 몸을 단련시키는 재능으로 나타난다. 이러한 재능들은 열매라는 개념이 존재할 때 빛을 발하게 되므로 정화 용신은 경금을 희신으로 삼는다.

경금 용신과 희신

　본격적으로 가을이 접어들면 이제는 열매 맺는 것을 주력으로 삼아야하는 시기다. 여름이 다 가는 시점에 열매를 맺어야 한다는 목표가 생겼으니 이제는 열매를 만들기에 집중해야 한다. 지난 시절 열매를 만드는데 있어서 열매를 만들어내는 효율을 높이는 방법을 공부하고, 수확량을 늘리는 법을 고안하고, 모양을 갖추고 속성은 단단하게 만드는데 열중했으니 이제는 그 열매를 만들어내는 것에만 초점을 맞추면된다. 구현만 하면 되는 임무가 경금을 용신으로 사용하는 사람들에게 재능으로써 주어진 것이다. 따라서, 지난 시절의 효율을 높이는 방법, 구현을 하기 위해 필요한 원리, 특정한 그림이나 퍼포먼스를 나타내는 방법, 신체를 단련하는 원리 등을 의미하는 정화가 경금 용신의 희신이 된다.

신금 용신과 희신

  지난 시절엔 열매를 맺느라고 열과 성을 다하여 열매를 만들어냈다. 이제는 이 중에서 가장 좋은 상품을 골라내어 겨울을 지나는 동안 먹을 수 있는 비축 식량으로 남겨놓고, 시장에다 판매할 좋은 상품성의 제품도 갈무리하고, 내년에 새롭게 농사 지을 우량 품종의 종자도 보관해야 한다. 그러려면 겨울이라는 계절에 대한 이해도가 필요하고, 시장에서는 어떤 상품이 잘 팔리는지를 알 수 있는 시장성 파악 능력이 필요하고, 우량 종자를 보존하여 다음 세대에 온전히 전달하는 법을 알아야 한다. 그렇기에 신금 용신은 희신을 임수로 삼아 상기의 계절 이해도, 시장성 파악 능력 및 전달 능력 등의 요소들을 모두 갖추게 된다.

임수 용신과 희신

겨울에는 지난 시절 싹을 틔우고 성장을 하여 꽃을 피워내고 열매를 맺는 시기를 거쳐온 한해의 모든 과정을 마무리하는 마지막 시점이다. 하지만, 마지막이라고 해서 끝나는 것이 아니라 시간이 흘러 다시 봄이라는 처음을 준비하는 시기이기도 하다. 겨울에는 올해를 다 보내고 난 시점에서 다음 세대에는 어떻게 하면 더 효율적이고 더 좋은 방법으로 한해를 보낼 수 있는지에 대해서 계획하고 축적된 노하우를 내년에 적용할 필요가 있다. 그 밖에도 겨울에는 열심히 힘들여 만들어낸 결과물들을 시장에 내다 팔고 수익을 올리는 시기이기도 하다. 그러므로 임수 용신은 다음 세대에 전달할 핵심 가치를 보조로 삼아야 하고, 시장에 내다팔 가치가 높은 상품도 갖추고 있어야한다. 결국, 임수 용신은 신금이라는 희신이 있을 때 그 재능이 빛을 발하게 된다.

계절별 용신과 희신의 조합

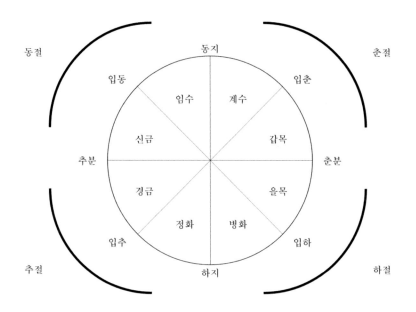

앞선 용희신 조합을 춘절, 하절, 추절, 동절의 계절별로 묶어 표현해 보면 상기의 그림과 같다. 춘절은 싹을 틔우기 위한 준비과정에서 싹을 틔우기까지, 하절은 싹을 틔운 후의 생장기간을, 추절은 성장을 마치고 열매를 맺는 데에 집중하는 시간을, 동절은 우수한 열매의 종자를 보존해 다음 세대로 전달하는 기간이다.

4. 내 연봉 얼마에요? [능률]과 [중화]

높은 연봉을 받는 이유

직장 생활을 하면서 한 사람의 능력을 가장 객관적으로 나타내는 것이 '연봉'이다. 높은 연봉은 삶의 질을 윤택하게 만들어주는 요소이기 때문에 취업을 할 때, 이직을 할 때 거의 첫번째 고려사항이라고 할 수 있다. 그렇다면 한 개인의 능력을 평가해주는 '연봉'이라는 것을 높게 책정 받는 방법은 무엇일까?

신입사원의 경우에는 한 사람이 꾸준히 쌓아온 경험과 수상경력, 대외활동 이력 그리고 객관적으로 노력의 척도를 파악할 수 있는 여러 공인 시험 성적 등이 주로 활용되곤 한다. 경력사원의 경우에는 그 동안의 활동 경력 사항, 실적, 경험을 바탕으로 평가를 받는다는 차원에서는 신입사원의 평가방식과 비슷하지만 업무의 전문성을 주된 척도로 연봉을 책정하는 것이 신입사원을 평가하는 방식과 차이점이라고 할 수 있다.

상기의 신입사원이든 경력사원이든 결국 훗날 자신의 연봉을 높여야 한다는 목표의식을 갖고 그 목표의식을 실현시키기 위한 노력이 얼만큼 뒷받침 되었는가가 사회에서 이 사람들의 연봉을 평가하는 기준이 된다.

오래 일하는 사람들의 비밀

평생 일한다는 것은 지속적으로 자신을 찾아주는 사람이 있다는 것이다. 일의 영역에서 계속해서 부름을 받는다는 것은 사회적으로 뛰어난 쓰임이 있는 사람이기 때문에 찾아주는 이가 있는 것이다.

사회는 계속해서 변한다. 그 때문에 사회는 개인에게 이렇게 급변하는 사회를 잘 알아채고 적응하여 그에 맞게 생산적인 활동을 할 수 있는 사람을 찾을 수 밖에 없다. 그러므로 개인은 빠르게 변하는 사회에서 필요한 능력이 무엇인지를 알아차리는 센스와 그에 맞도록 꾸준히 자기개발을 하고 자신의 능력범위를 확장하려는 시도가 필요하다.

꾸준히 노력하는 사람이 가진 [지속성]

앞서 연봉을 높이는 방법과 평생 일하는 사람을 논했을 때의 경우 모두에서 '꾸준함' 이라는 요소가 필요함을 알 수 있었다. 자신이 받을 연봉을 위해서라도, 계속해서 사회적인 쓰임을 받기 위해서라도 스스로의 가치를 높이기 위한 오랜 노력이 필요하다.

명리학에서 꾸준한 자기개발 능력을 나타내는 요소는 '지속성' 이라고 부른다. 지속성은 용신과 희신이라는 재능과 보조능력을 오래도록 키워내려는 의지라고 할 수 있다. 지속성은 춘절, 하절, 추절, 동절의 용희신 조합에서 이전 계절의 시작 용신을 지속성으로 삼는다.

계절	용희신	지속성
춘절	계갑	신
하절	을병	계
추절	정경	을
동절	신임	정

자신을 업그레이드 시키는 [확장성]

개인적인 능력에 대한 보상을 받겠다는 뚜렷한 목표의식이 있다면 어떤 부분에 노력을 해야할지 결정할 수 있게 된다. 비슷한 관점에서 보자면 꾸준한 사회의 쓰임을 받기 위해서는 자신이 커버할 수 있는 범위를 넓히고자 하는 마인드가 있어야 능력을 확장하려 한다.

명리학에서 목표의식과 재능의 확장 마인드를 나타내는 요소는 '확장성' 이라고 부른다. 확장성은 용신과 희신이라는 재능과 보조능력을 활용하여 자신이 커버하는 범위를 넓히고자 노력하는 태도라고 할 수 있다. 확장성은 춘절, 하절, 추절, 동절의 용희신 조합에서 다음 계절의 마무리 용신을 확장성으로 삼는다.

계절	용희신	확장성
춘절	계갑	병
하절	을병	경
추절	정경	임
동절	신임	갑

천재와 백수는 많이 다를까?

다들 한번쯤은 주변에 있는 인물에게 개인적인 자질은 뛰어난데, 설명 능력이나 전달 능력이 부족하여 안타까운 감정을 느낀 적이 있을 것이다. 이 예시에서 개인적인 영역에서 개인의 능력을 발휘하는 것은 온전히 나 하나만을 인식하면 되는 것이므로 세상 속에서 나 자신의 쓰임이나 내가 가진 능력이 얼만큼 되는지를 가늠하면 된다. 하지만, 사람들과 소통하고 교류하는 수준에서는 자기 자신의 능력을 파악하는 것 이외에도 세상이 원하는 것이 무엇인지를 알고 그에 맞게 내 능력을 전달하는 모습이 필요하다.

다시 말해 천재는 세상속의 자신의 수준을 파악하고, 그 수준을 세상에 전달하는 능력을 알고 있기 때문에 능력 활용과 능력 전달의 측면에서 상당히 높은 평가를 받을 수 있게 되지만, 개인 능력이 아무리 뛰어나도 능력 활용법이나 능력 전달을 할 수 없다면 방구석 아인슈타인의 꼴을 면치 못하게 된다.

능력발휘, 어떻게 하는거죠? [중화]

스스로의 역량이 세상속에서 얼만큼 되는지를 파악하는 능력과 내가 사는 세상이 어떻게 구성되어 있고 그 구성 요소를 활용하고자 하는 능력은 내가 가진 재능을 펼치는 방법론이 된다. 이를 명리학에서는 '중화'라고 표현하며 개인마다 고유하게 갖고 있는 특성을 나타내는 방법이 어떤 방식으로 나타나는지를 알려준다.

'중화'는 무토 (戊土)와 기토 (己土), 두가지가 존재하며 무토는 세상의 변화를 인식하는 능력을, 기토는 세상속의 자신을 인식하는 능력을 나타내는 글자들이다.

중화	의미
무토	세상의 변화를 인식한다
기토	세상속의 자신을 인식한다

용신과 희신의 조합별로 선호하는 중화의 요소가 다른데, 춘절과 추절에는 '기토'를 선호하고, 하절과 동절에는 '무토'를 선호한다. 춘절과 추절의 이론 중심 분야는 개인적인 역량을 개발하는 성격이 더 강하고, 하절과 동절의 실전 중심 분야는 사회에서의 쓰임의 성격이 더 강하기 때문에 선호하는 중화 요소가 다르게 나타난다. 하지만, 경우에 따라 춘절

과 추절의 용신과 희신을 가진 사람이 무토를 가진 경우가 나타날 수 있는데 이러한 경우에서는 자신의 재능이 세상 속에서 어떻게 쓰이는지를 알고 싶어하기에 현장 경험을 중시하는 성향으로 나타난다. 마찬가지로 하절과 동절의 용신과 희신을 가진 사람이 기토를 갖는 경우에는 세상에 있는 것을 그대로 사용하려는 성향이 나타나기보다 반드시 자신만의 것으로 재탄생시키는 가공과정을 거쳐서 재능을 드러내려 하는 특징을 갖는다. 무토와 기토가 모두 없다면 세상과 자신을 인식하는 힘이 부족하여 자신의 재능을 드러내는 방법을 몰라 시간적인 손실이 발생한다. 하지만, 운에서 이러한 기회를 만회할 수 있는 시간이 오기 때문에 무토와 기토 모두가 없는 경우에는 누구보다 타이밍을 잘 활용 해야하는 경우라고 할 수 있다.

분야	용신과 희신	선호하는 중화	중화가 다르면
이론 중심 분야	계갑	기토	무토를 가지면 현장 경험을 꼭 하려한다
	정경		
실전 중심 분야	을병	무토	기토를 가지면 자신만의 것으로 재탄생시키는 가공과정을 거친다
	신임		

5. 나만의 개성을 만드는 [기신]

다른 관점의 소유자

학창시절 공부를 잘하는 친구가 공부 이외에도 운동을 잘한다거나 춤을 잘 춘다거나 그림을 잘 그린다는 등 여러가지 재주를 갖는 경우를 경험한 적이 있을 것이다. 공부만 잘하는 경우도 있는 친구도 있었으니 학교 공부 이외의 분야에까지 재능을 나타내는 친구들은 '우수한 유전자를 물려받아 타고난 재능이 우수한 친구인가보다~' 라고 생각한 경우도 있다.

명리학에서 용신과 희신을 모두 갖추고 있으면 주어진 일을 잘 하는 조건이라고 앞의 장에서 다뤘었다. 하지만, 위의 사례에서 보듯이 주어진 일 이외의 것도 잘하게 되는 요소가 사주내에서 존재한다. 자신이 해야하는 일 이외에 별도의 특기를 만들어내는 요소는 명리학에서 '기신' 이라고 명명한다.

나만의 고유한 분야

한 개인이 고유하게 부여 받은 재능 말고도 그 사람의 관심을 자극하는 요소들이 세상에는 너무 많다. 그림을 정말 생동감 있게 그려내는 사람이 외국어에 아주 능통할 수도 있고, 상품성을 부각시켜 유통시키는 방법을 잘 아는 사람이 설명을 찰떡같이 잘하여 영업사원 교육까지 해내는 재능을 보유할 수도 있다. 각각의 경우는 외국어라는 언어나 인재를 양성하는 분야에까지 관심이 많았기에 그러한 분야에 대한 재능을 기르려는 노력을 하였으니 얻게 된 능력이라고 할 수 있다.

상기의 몇 가지 예시에서 알 수 있듯, 기신이라고 하는 것은 잘만 이용하면 서로 다른 분야를 융합하여 새로운 분야를 만들어내는 능력이 될 수 있다. 여기에 지속적인 노력과 꾸준히 능력을 키워나가려는 의지가 합쳐진다면 기존에는 없던 새로운 직종이 탄생할 수도 있게 되는 경우가 발생할 수 있다.

기신의 종류는 음양기신과 상극기신으로 나뉜다. **음양기신**이란 용신 또는 희신과 **오행은 같고 음양이 서로 다른 것을 의미**한다. 예를 들어 병화가 용신이라면 음양 기신은 병화와 같은 화의 오행이면서 음양이 다른 정화를 의미하게 된다.

음양기신이 오행이 같고 음양이 다른 것이었다면, **상극기신**

은 **음양은 같지만 오행이 다른 경우를 의미**한다. 이때, 상극은 수와 화가 상극이고, 목과 금이 상극이다. 예를 들어 경금이 용신이라면 상극기신은 음양이 양으로 같고 오행은 서로 상극 관계인 목 오행에 해당되는 갑목을 의미한다.

위와 같이 음양, 상극기신 개념을 이해하고 다음 내용들을 읽어 나가길 바란다.

용신 or 희신	음양기신	상극기신
계수	임수	정화
갑목	을목	경금
을목	갑목	신금
병화	정화	임수
정화	병화	계수
경금	신금	갑목
신금	경금	을목
임수	계수	병화

통섭 능력 보유자 [용신의 기신]

계수(癸水) 용신의 기신

계수용신의 음양기신, 상극기신 각각을 살펴보자. 계수용신의 음양기신은 '임수'가 된다. 계수가 어떤 아이디어나 기획, 지식, 감수성, 도덕적인 부분과 연관된 재능이라고 한다면 계수용신의 음양기신인 임수가 있는 경우에는 기존에 잘 갖춰진 하나의 시스템에서 계수 용신의 특성을 발굴하거나 임수가 갖고 있는 여러 의미 중 하나인 시장 경제 등에서도 아이디어를 얻는 것을 의미한다. 즉, 본래 계수가 갖고 있는 특성을 임수가 관장하는 분야에서 응용하여 계수용신의 재능을 발휘할 수 있게 된다고 말할 수 있다. 같은 원리를 적용하여 계수용신의 상극기신인 정화를 살펴보면, 효율이나 원리, 기술 관련 영역에서 지식이나 감수성, 도덕성을 찾게 되는 것이므로 과학윤리, 산업안전 관련 분야로 재능을 응용하거나 예체능 계통에서 멘탈 케어 방법, 예술 작품의 미적 가치를 탐구하는 미학 관련 분야에서 두각을 나타낼 수 있다.

갑목(甲木) 용신의 기신

갑목용신의 음양기신, 상극기신 각각은 을목, 경금이 된다. 갑목이 계수라는 아이디어와 지식, 감수성 등을 바탕으로 이를 표현해내는 능력을 의미한다면 갑목의 음양기신인 을목과 상극기신인 경금은 갑목의 표현해내는 특징을 응용하는 영역으로 이해하면 된다. 을목의 경우 갑목의 표현해내는 능력의 영역을 넓혀가는 것을 의미한다고 생각했을 때 실제 어떤 기획안의 적용을 해보는 능력도 갖고 있거나 다양한 영역에서 표현하는 재능을 사용한다는 것을 의미한다. 경금인 상극기신을 갖고 있는 경우에는 생산분야에서 표현능력을 사용하는 것으로써 생산분야에 있어서 기초적인 교육을 담당한다거나 예체능 계통으로 생각해보면 기초체력 훈련을 담당하거나 입문자 교육을 하는 재능으로 생각해 볼 수 있다.

을목(乙木) 용신의 기신

을목용신은 음양기신으로 갑목을, 상극기신으로는 신금을 갖는다. 을목이 시스템 정립, 피드백 과정을 바탕으로 체계를 잡아가는 것을 의미한다면 갑목이라는 음양기신은 이 체계정립의 영역을 기초생활 분야로도 응용할 수 있는 것을 의미한다. 의식주 바탕의 산업분야에 종사하면서 어떤 체계나 시스템을 만들어가는 영역을 의미하거나 교육의 분야에서 새로운 교수법, 지도법 등을 적용해보는 식의 해석이 가능해진다. 한편, 상극기신인 신금은 고도화를 의미하는 재능으로 을목의 재능을 고도화, 첨단화 시키는 영역에 적용할 수 있다는 것을 말한다. 가령, 상품의 가치를 높이는 방법에 있어서 어떤 체계적인 품질관리 프로세스를 도입하는 부분, 검증된 운영 시스템을 사람이 살아가는 여러 분야에 응용할 수 있도록 시도하는 재능으로 나타난다 할 수 있다.

병화(丙火) 용신의 기신

병화용신은 여러 차례 검증을 거친 시스템을 바탕으로 운영, 관리하는 재능 또는 다양한 사람과 소통하는 능력을 의미했었다. 병화 용신의 음양기신, 상극기신으로 이러한 운영, 관리, 소통 재능이 어떻게 적용되는지 알아보자. 먼저, 병화용신의 음양기신은 정화로 효율, 원리, 기술, 예체능 영역 관련 분야를 의미한다고 할 수 있다. 그러므로 회계분야의 관리 능력, 연구소 운영 능력 등으로도 해석이 가능하고 예체능 분야로 간다면 미술이나 체육 등을 가르치는 예술인, 체육인 양성 기관 운영 등으로 해석할 수 있다. 다음으로는 병화용신의 상극기신을 살펴보자. 병화용신의 상극기신은 임수가 되는데, 이는 유통, 시장성 고려, 경영, 수익성 고려 등의 재능을 운영, 관리, 소통 능력에 접목한 것을 의미한다. 따라서, 유통관리 재능, 수익성 증진을 위한 마케팅의 재능, 경영 컨설팅 관련 재능으로 병화 용신이 응용될 수 있다.

정화(丁火) 용신의 기신

정화용신은 특정 결과값을 만들어내기 위해서 어떻게 하면 효율이 높아질지, 만들어내는 원리는 무엇인지, 구현 방법에 대한 기술력을 개발하는 영역에서 재능을 드러낸다. 이러한 정화용신의 음양기신과 상극기신은 각각 병화와 계수이다. 병화라는 음양기신은 기술적인 영역, 원리 정립의 영역, 효율성의 영역인 정화의 재능을 여러 사람에게 적용해보는 분야로 응용하는 것을 의미한다. 그러므로 소비자 여론을 바탕으로 기술 개편을 하는 작업의 UI/UX 분야, 또는 기술 연구소를 관리하는 영역 등으로 정화용신의 재능을 음양기신인 병화의 영역으로 확장하여 사용할 수 있다. 마찬가지의 방식으로 계수라는 상극기신은 정화 용신의 분야를 지식의 분야, 감수성의 영역, 기획 단계로의 적용 등에 응용할 수 있음을 말한다. 그러므로 기술, 효율, 원리 등의 타고난 재능을 지식과 엮었을 때는 기술이 이론을 발굴하는 역할로, 감수성의 영역과 엮인다면 예체능계에서 멘탈 트레이닝을 담당하는 역할로, 기획의 영역에서는 기술력을 바탕으로 마케팅 전략 수립 등을 하는 방식으로 정화용신의 재능을 음양기신, 상극기신의 분야에 응용을 할 수 있게 된다.

경금(庚金) 용신의 기신

눈에 보이도록 만들어내는 재능, 무언가를 제조해내는 재능, 스스로의 체력이나 몸을 단련하는 재능을 가진 것이 경금 용신의 특징이었다. 이때, 경금 용신은 신금이라는 음양기신과 갑목이라는 상극기신을 용신의 기신으로 갖게 된다. 경금 용신의 음양 기신인 신금은 고도화, 첨단화를 하는 것을 의미하므로 무언가를 새로이 만들어내는 것뿐만이 아닌 만들어진 것을 바탕으로 가치를 더 높이는 영역에까지 재능을 겸비한 것을 의미한다. 스스로 만든 것을 다시 한번 가다듬어 가치를 높임으로써 상품성을 높인다거나 이미 만들어진 무언가에서 핵심만을 추려내는 응용력을 갖추게 되어 업그레이드를 시킬 수 있는 방법을 알고 있는 재능으로 나타날 수 있다. 경금 용신의 상극 기신인 갑목은 구현된 것을 바탕으로 표현의 재능까지 갖추고 있는 것이므로 어떤 현상을 바탕으로 글을 써내는 능력을 갖춘 기자로써의 재능으로 나타날 수도 있고, 신체 단련에 있어서 후학을 양성하는 영역으로 응용이 될 수 있는 실력을 겸비하고 있다고 할 수 있다.

신금(辛金) 용신의 기신

신금 용신은 이미 제조된 것, 구현된 것 등을 다듬어 가치를 더 높이는 것이 재능이라고 앞서 설명했었다. 상품으로써의 가치를 높인다거나 전달될 정보의 핵심을 추려내거나 하는 일은 신금을 용신으로 가진 사람들이 천부적으로 타고난 재능이라고 할 수 있다. 만약 여기에 경금이라는 신금 용신의 음양기신이, 을목이라는 신금 용신의 상극 기신이 있다면 고도화, 첨단화의 재능이 어떻게 발현이 될까? 우선 신금 용신이 경금이 있다면 갈무리 작업 이외에도 경금을 재능에 활용할 수 있으니 생산/제조 활동에 재능이 있는 형태로 나타날 것이다. 그러므로 갈무리 작업의 앞 단계에 있는 생산/구현 등의 영역에서도 재능을 드러낼 수 있다는 것을 의미한다. 한편, 신금 용신의 상극기신인 을목은 신금 용신의 갈무리 작업을 사람들이 살아가는 사회에 적용해보는 것을 의미하므로 UI 개선, 시스템이나 제도 개편 관련 분야에서 첨단화라는 재능을 응용할 수 있는 것을 말한다.

임수(壬水) 용신의 기신

임수용신을 설명할 때는 '전달'이 키워드였다. 정보를 전달하거나 상품을 전달하거나 가치를 지닌 지식을 전달하는 방식이 임수 용신의 재능을 활용하는 분야라고 설명했었다. 여기에서 나아가 임수 용신의 음양기신, 상극기신에 따라 임수용신의 응용분야가 어떤 것이 있는지를 한번 살펴보도록 하자. 우선, 임수용신의 음양기신은 계수로 지식과 감수성 등의 응용분야를 가질 수 있는 것을 의미한다. 따라서, 임수 용신의 재능인 유통, 전달 관련 분야에 있어서 감수성과 지식이 적용되는 것을 의미하니 본래 임수 용신의 재능에 소비 심리를 이용하거나 유통과 관련된 물류 관련 지식 등을 이용하는 방면으로 응용이 가능한 것을 말한다. 임수의 상극기신은 병화로 소통과 운영, 관리 등의 키워드를 갖는데 유통, 전달의 능력 이외에도 운영, 관리 능력이 있는 것으로 해석할 수 있으니 타고난 리더의 기질이 있다고 해석할 수 있게 된다.

자신만의 방법론 [희신의 기신]

계수(癸水) 희신의 기신

계수는 갑목용신의 희신으로 표현에 사용되는 지식이나 글쓰기를 할 때 감수성을 담아내는 역할 및 어떤 일을 할 때 반복 숙달을 통하여 수행 방법에 대한 깨달음을 얻을 수 있는 역할을 하는 것으로 설명했었다. 그렇다면 이 희신의 음양기신과 상극기신은 무엇인지, 그리고 그 역할은 무엇인지에 대해서 알아보자. 우선 계수희신의 음양기신은 임수로 글쓰기와 표현에 있어서 응용할 수 있는 분야를 물류, 경영, 상경 계열에 응용할 수 있는 것을 의미한다. 또한, 하나의 잘

이루어진 생태계를 이어받는 의미로도 해석을 한다면 체계화된 하나의 시스템을 이어받는 것과 같은 의미로 해석할 수 있다. 그러므로 계수보다 조금 더 큰 규모의 지식체계를 익히고 수용하는 것을 말한다. 한편, 계수희신의 상극기신은 정화로 효율, 기술, 예체능 계통에 표현능력을 활용하는 것을 의미하기에 지식을 이용하여 갑목용신을 활용하기보다 기술적인 영역과 예체능에 있어서 표현능력을 활용하는 것을 뜻한다.

갑목(甲木) 희신의 기신

갑목은 계수용신의 희신으로 지식을 표현해내거나 활용하게 만들어주는 능력을 의미했었다. 지식을 익힐 수 있도록 어떤 작업을 반복하여 진행하여 아이디어를 얻어내거나 감수성을 살려 그 감수성이 표현되도록 만들어주는 것이 갑목희신의 역할이었다. 이제 갑목희신의 기신에 대해서 한번 알아보자. 우선, 갑목희신의 음양기신은 을목으로 계수용신이 갖는 재능인 지식, 감수성, 아이디어, 기획 등의 재능을 체계정립에 활용하는 것을 뜻한다. 단순히 글쓰기나 표현, 인재육성 관련 영역에서 그치지 않고 하나의 시스템을 만드는 것에 지식, 심리, 기획력 등을 활용한다는 소리이다. 갑목희신의 또다른 기신인 상극기신 경금은 지식을 만들어내는 능력을 제조

나 체력단련, 구현의 영역에서 발휘하는 것을 의미하므로 어떤 것을 제조할 때 아이디어를 얻어낸다거나 체력단련을 하는 기발한 아이디어를 발휘하는 것, 예술품을 만들어내거나 하는 분야에 있어서 지식을 접목하여 사용하는 것으로 해석할 수 있다.

을목(乙木) 희신의 기신

을목은 병화용신의 희신으로 앞서 설명했었다. 운영, 관리 등을 하기 위한 어떤 시스템, 법률, 규칙 등을 활용하는 것으로써 을목은 병화용신을 보조하는 능력으로 설명했다. 이 을목희신에 대해서 음양기신과 상극기신은 각각 어떤 역할을 하는지에 대해서 알아보자. 우선, 을목희신의 음양기신은 갑목으로 병화용신의 운영, 관리, 소통의 재능을 갑목이 상징하는 분야에도 응용이 가능한 것을 말한다. 그렇기에 갑목이 의미하는 새로이 무얼 시작하는 사람들, 새로 직장에 고용된 사람들, 새로 무언가를 배우는 사람들을 병화라는 용신으로 이끌어주는 역할을 하게 된다. 체계나 법을 도입하기보다 미래의 역군이 될 새로운 인재를 키우는 방향으로 재능을 펼치는 역할을 하는 것이다. 을목희신의 상극기신은 신금이다. 이는 고도화를 의미하는 신금을 병화용신의 희신으로 사용하는 것을 뜻한다. 즉, 운영, 관리, 소통 작용을 통해 어떤 가치를

발굴해내거나 어떤 방향으로 가치를 높일 수 있는지를 알아
내는 방식으로 주어진 재능을 활용하며 살아가게 된다.

병화(丙火) 희신의 기신

　병화희신, 이는 을목용신의 희신으로 시행착오를 거치며 시
스템을 정립하거나 체계화를 해가는 수단으로써 소통과 의견
교류를 통한 체계와 시스템에 오차를 줄여가는 것을 뜻했었
다. 이제 병화희신의 기신들은 을목을 어떤 방식으로 활용할
수 있게 만드는지 알아보자. 먼저 병화희신의 음양기신에 대
해서 말하자면 정화의 영역에 을목용신이라는 재능을 활용하
는 것을 의미하므로 과학기술의 영역에서 기술적인 체계를
정립하는 것을 뜻한다. 이 밖에도 체력단련이나 예술 계통에
있어 효율적인 단련법, 어떤 표현 기법에 대한 체계 정립을
의미하기도 한다. 한편, 병화희신의 상극기신은 임수로 경영,
유통, 지식전달, 정보전달과 같은 분야에 시스템 정립을 하는
것을 말한다. 즉, 경영 방식에 시스템을 도입한다거나 유통에
있어서 물류 체계를 정립한다거나 교육법, 정보 전달 방식의
정립 활동을 하는 분야에서 체계 정립, 시스템 형성 관련 재
능을 활용하는 것이라 할 수 있다.

정화(丁火) 희신의 기신

　정화가 희신일 때는 경금이 용신일 때를 의미한다. 경금이라는 뭔가 나타내고자 하는 재능, 만들고자 하는 재능, 반복숙달을 통해서 효율을 높이고자 하는 재능을 더 부각되도록 해주는 것이 정화 희신이었다. 이때, 정화 희신 외에 정화 희신의 음양 기신인 병화가 있다면 뭔가 만들어내거나 예체능 계통의 재능을 소통과 운영/관리에 접목시켜 드러내는 것을 의미하므로 재고나 물품 관리 영역, 퍼포먼스 예술 영역에서 종사하는 방식으로 재능을 드러낼 수 있다. 한편, 정화의 상극기신인 계수를 바탕으로 경금이라는 용신을 활용하는 경우에는 경제나 금융 계통에서 기자 활동을 한다거나 예체능 계통에서 어떤 지식을 만들어내는 미학 관련 분야에서 종사하는 방향으로 재능을 드러낼 수 있는 것을 의미한다. 즉, 구현된 것, 일어난 현상, 사실 등을 바탕으로 어떤 글을 쓰거나 지식을 발굴하는 것, 학술/지식적 의미를 찾아낼 수 있는 방법으로 경금 용신을 계수라는 정화 희신의 기신으로 드러내는 것이다.

경금(庚金) 희신의 기신

　경금 희신은 정화가 용신일 때 경금이 희신으로 작용했다. 효율성을 고려하여 무언가를 제조하는 것, 과학/기술 등을 적용하여 완제품을 만들어내는 것, 꾸준한 노력과 반복으로 미술 작품을 탄생시키거나 신체를 활용한 체육 활동을 하는 것이 정화 용신에 경금 희신을 갖췄을 때 나타나는 특성이었다. 만약, 이때 경금 희신의 기신이 있다면 정화 용신을 어떻게 나타낼 수 있을까? 우선 경금 희신의 음양 기신인 신금을 갖고 있다면 앞서 제시되었던 생산/제조, 예체능 분야에서 품질을 높이는 능력까지 갖춘 것을 의미하므로 생산/제조 영역에서는 품질관리, 품질개선 공정을 만들어내는 작업을 통해 상품 가치를 높이는 방식으로 재능을 드러낼 수 있다고 볼 수 있다. 예체능 계통에서는 타의 추종을 불허하는 체육인, 예술적 가치가 아주 높은 작품을 탄생시키는 방식 등으로 재능을 드러낼 수 있다. 만약 경금 용신의 상극기신인 갑목이 있다면 수학이나 과학을 가르치는 선생님의 역할을 한다거나 음식이나 음료를 파는 방식으로 자신의 재능을 드러낼 수 있게 된다고 할 수 있다.

신금(辛金) 희신의 기신

  신금 희신은 임수가 용신일때 짝이 되는 희신으로 높은 가
치의 상품, 많은 사람들에게 유용하게 사용될 정보, 후대에서
높이 사용될 지식 등으로 대중들에게 혹은 세대를 거듭해서
전달이 될만큼 유용한 가치를 담고 있는 것을 의미했다. 이
때 신금희신의 음양기신인 경금이 있다면 신금이 의미하는
가치가 매우 높은 상품보다 비교적 가치가 떨어지는 상품 등
을 의미하므로 생활용품, 주방용품, 대량생산이 가능한 제품
등을 유통하는 일을 하면서 재능을 나타낼 수 있다. 이 밖에
도 경금은 가치를 높이기 이전의 상태이기 때문에 제조의 초
기 단계까지도 커버가 가능하다고 할 수 있으며 과학 기술
분야의 기초학문에 종사하거나 예체능 계통에서 미래의 가치
가 높은 미술품을 발견하는 업무에도 두각을 나타낼 수 있는
재능을 갖췄다고 할 수 있다. 만약 신금희신의 상극기신인
을목이 있다면 여러 사람과 교류를 하면서 전달이라는 재능
을 활용하는 특성을 갖고 있으므로 관광 산업이나 레크리에
이션, 프리랜서 강사 등의 분야에서 재능을 발휘할 가능성이
있다고 할 수 있다.

임수(壬水) 희신의 기신

 신금용신의 희신은 임수였다. 높은 가치를 지는 어떤 대상물을 상품으로써 유통한다거나 여러 세대에 걸쳐서 활용가치가 높은 지식을 찾아내서 전달하는 일, 다수의 사람들에게 알권리를 충족시키는 정보를 전달하는 방식으로 재능을 드러내는 것이 신금용신이 희신인 임수를 갖췄을 때의 적성이라고 할 수 있었다. 이때, 임수희신의 음양기신인 계수가 있다면 이를 어떻게 활용할 수 있을까? 가치가 높은 지식을 발견하거나 산업분야에서 소비심리 등을 마케팅에 활용하는 분야에서 자신의 재능을 발휘할 수 있다고 할 수 있다. 한편, 임수의 상극기신인 병화가 있다면 이는 신금용신을 어떻게 활용할까? 병화는 소통과 운영, 관리의 재능을 의미했었고 이를 가치를 발굴하는데 사용한다 하였으니 신금용신이 병화라는 임수희신의 기신을 가질 때는 컨설팅이나 카운셀링이라는 활동을 통해 특정인의 가치를 키워내거나 발굴하는 작업으로 재능을 나타낼 수 있고 이외에도 누군가의 재능을 키워내는 방법으로도 용신과 희신의 기신을 활용할 수 있게 된다.

다양성의 시대, 기신의 가치

과거급제를 통한 입신양명이 유일한 출세의 방법이었던 과거와는 달리 현대 사회는 다양성을 존중해주고 설득력만 갖춘다면 개성을 통한 성공이 보장이 되는 시대이다. 용신과 희신을 갖게 되면 한 분야에 집중하는 힘이 생기니 그 분야에 대해서는 타의 추종을 불허하는 전문가가 될 수 있는 가능성이 커진다. 만약, 여기에 기신이라는 것이 함께 존재하게 된다면 내가 갖고 있는 관심사와 내가 원래 타고난 재능이라는 것을 융합시키는 것까지 가능하게 된다. 어쩌면 현대 사회에서는 대중적으로 서로 관련이 없던 분야라고 여겨지던 것을 잘 접목만 시킨다면 더욱이 사람들의 이목을 끄는 요소로 작용하게 되기 때문에 용신과 희신 이외에 기신을 통해 다재다능한 사람이 되는 것이 성공으로 가는 새로운 길을 만들어내는 방법이 될 수 있다.

6. 진로 적성 찾는 법

 지금부터는 앞에서 학습한 방법들을 토대로 용신과 희신, 그리고 기신을 활용하여 자신의 진로와 적성을 찾는 방법에 대해서 다룰 것이다. 본 책에서 제시하는 분석 방법이 낯설겠지만 계속해서 따라해보고 익숙해지도록 반복하는 방식을 통해서 수월하게 진로 적성을 분석할 수 있을 때까지 연습하였으면 한다. 아래의 순서를 잘 따라해보길 바란다.

1. 태어난 년, 월, 일, 시를 통해서 사주 정보를 얻는다.

 요즘에는 무료로 사주만세력을 계산해주는 사이트나 어플리케이션이 굉장히 많이 있다. 아무 사이트나 어플리케이션이나 상관이 없으니 원하는 사이트나 어플리케이션을 실행시켜서 생년월일시 정보를 얻는다. 아래는 2024년 6월 5일 오후 1시 20분에 태어난 사람의 예시를 나타내었다.

	시주	일주	월주	연주
	식신	일간	비견	편재
천간	壬	庚	庚	甲
지지	午	子	午	辰
	정관	상관	정관	편인

지장간	丙 丁	壬 癸	丙 丁	乙 癸 戊

조금 복잡할 수 있는데 세세히 설명을 해보겠다.

노란색으로 표시된 4개의 구획은 오른쪽부터 연주, 월주, 일주, 시주를 나타낸다. 한 사람이 태어난 생년월일시를 바탕으로 구해지는 사주는 이렇게 '4개의 기둥'을 의미하기 때문에 사주라고 불리우는 것이다.

이렇게 구해진 사주에서 각각의 연주, 월주, 일주, 시주를 구성하는 요소를 하늘색으로 표시해 두었는데, 사주의 위쪽을 구성하는 부분을 '천간', 사주의 아래쪽을 구성하는 부분은 '지지'라고 명명한다. 천간은 한사람의 생각이나 계획, 어떤 일을 수행하기 위한 방법론을 의미하고 지지는 한 사람이 활용할 수 있는 환경, 시간, 공간 등을 의미한다고 생각해주면 된다. 위치에 따라 연주의 천간은 연간, 연주의 지지는 연지, 월주의 천간은 월간, 월주의 지지는 월지, 일주의 천간은 일간, 일주의 지지는 일지, 시주의 천간은 시간, 시주의 지지는 시지라고 명명한다.

마지막으로 연두색으로 칠해진 부분을 '지장간'이라고 하는데, 하나의 지지는 2개 또는 3개의 '지장간'으로 구성되어 있다. 지장간은 한 사람이 무의식적으로 하는 행동, 환경에서 이용할 수 있는 물건, 나를 도와주는 사람 등의 실질적인 요소를 의미한다고 생각해주면 된다.

이렇게 소개한 천간, 지지, 지장간의 개념을 잘 몰라도 된다. 하지만, 진로 적성을 분석하기 위해서 중점적으로 활용할 요소가 '천간'과 '지장간'이라는 것은 꼭 알아두길 바란다.

2. 생년월일시 정보를 통해서 획득한 만세력을 바탕으로 용신을 확인한다. 이 때, 용신은 월지를 바탕으로 판단한다. 용신이 무엇인지 판단하기 위해서는 아래의 표를 참고하기 바란다.

용신	시점 (대략적인 절기의 양력 날짜를 표기)
계수(癸水)	동지~입춘 (12월 21일~2월 3일)
갑목(甲木)	입춘~춘분 (2월 4일~3월 21일)
을목(乙木)	춘분~입하 (3월 21일~5월 4일)
병화(丙火)	입하~하지 (5월 5일~6월 21일)

정화(丁火)	하지~입추 (6월 12일~8월 6일)
경금(庚金)	입추~추분 (8월 7일~9월 21일)
신금(辛金)	추분~입동 (9월 21일~11월 7일)
임수(壬水)	입동~동지 (11월 8일~12월 21일)

　예시로 활용한 상기의 사주는 2024년 6월 5일에 태어났기 때문에 6월 5일이 해당하는 구간은 '병화용신'의 구간이 된다. 따라서, 상기 사주의 용신은 '병화'가 된다.

　한편, 사람에 따라서 생일이 24절기 중 동지, 춘분, 하지, 추분의 시기에 걸치는 경우가 생긴다. 이러한 경우에는 태어난 년도의 동지, 춘분, 하지, 추분의 '절입시간'이 어떻게 되는지를 파악해야 한다. 절입시간이란, 하나의 절기가 시작되는 날짜와 시간을 의미한다. 절입시간이 지나서 태어난 경우에는 그 날짜에 걸쳐 있는 용신 중 다음에 오는 용신을 취하면 된다. 예시로 설명을 해보겠다. 아래 그림을 보자.

	시주	일주	월주	연주
	식신	일간	비견	편재
천간	戊	癸	丁	甲
지지	午	未	卯	辰
	정관	상관	정관	편인

지장간	丙 丁	丁 乙 己	甲 乙	乙 癸 戊

　위 사주는 2024년 춘분이 시작되는 날짜인 3월 20일 12시 20분에 태어난 사람의 사주이다. 이때, 한국 천문 연구원의 달력자료를 바탕으로 춘분 절입시간의 정보를 알아보면 2024년 3월 20일 12시 6분이 춘분이 시작되는 시점이다. 위 사주는 태어난 시간이 12시 20분이므로 춘분이 시작된 이후 태어난 사람이다. 이러한 경우 용신은 '을목'이 된다. 한편, 만약 태어난 시간이 12시 정각이 되는 경우에는 춘분이 시작되기 이전에 태어난 사람이므로 용신은 '갑목'이 된다. 이와 같이 24절기 중 동지, 춘분, 하지, 추분에 태어난 사람들의 경우 용신을 판단할 때는 절입 시간까지 세세하게 고려하여 판단해야 한다는 것을 꼭 잊지 말아야 한다.

3. 용신을 구했으면, 천간 (연간, 월간, 일간, 시간)과 지장간을 통해 희신과 기신이 어떻게 구성 되어있는 지를 파악한다. 용신과 희신 그리고 기신을 구할 때는 지지는 고려하지 않고, 천간과 지장간만을 활용하여 희신과 기신을 파악한다. 이때, 모든 것은 용신을 기준으로 판단해야 한다. 예시를 통해서 설명해보겠다. 아래의 사주를 보자.

	시주	일주	월주	연주
	식신	일간	비견	편재
천간	戊	壬	丙	甲
지지	申	子	寅	辰
	정관	상관	정관	편인

지장간	戊壬庚	壬癸	戊丙甲	乙癸戊

위 사주는 2024년 2월 18일 오후 4시 17분에 태어난 사람의 사주이다. 이렇게 되면 용신은 갑목용신이 되고 천간으로는 甲, 丙, 壬, 戊를 갖고 있으며, 지장간으로는 乙, 癸, 戊, 丙, 甲, 壬, 庚 (중복으로 갖고 지장간은 한번만 표기를 하였음)을 갖고 있다. 이렇게 되면, 위 사주는 용신이 갑목이고, 희신인 계수를 갖고 있으며 확장성인 병화가 있다. 한편, 기

신을 분석해보면 용신의 음양기신인 을목, 용신의 상극기신인 경금, 희신의 음양기신인 임수 또한 가진 사람이다. 중화의 요소로는 무토를 갖고 있다. 정리하자면 아래와 같다.

용신: 갑목 (월지 - 오직 월지에서만 구한다)
희신: 계수 (지장간)
지속성: X
확장성: 병화 (천간, 지장간)
중화: 무토 (천간, 지장간)
기신:
용신의 음양기신 - 을목 (지장간)
용신의 상극기신 - 경금 (지장간)
희신의 음양기신 - 임수 (천간, 지장간)
희신의 상극기신 - X

한편, 지장간과 천간을 구분한 이유는 사람은 천간을 중점적으로 활용하려는 특성이 있기 때문에 구분하였다. 반면, 지장간을 구성하고 있는 요소들은 사람이나 사물 등에 의해서 재능을 활용하는 방향에 영향을 준다고 설명할 수 있다. 다만, 천간이든 지장간이든 **어떤 방향으로 각각의 요소들을 활용해야 하는지에 대한 기준이 되는 것은 항상 용신이 된다는 것**을 잊으면 안된다. 이러한 기준과 특성을 통해서 위 사주의 진로 적성은 아래와 같이 풀이할 수 있다.

용신이 갑목이므로 -> 익힌 것을 표현하는 능력, 무형의 어떤 것을 나타내는 능력이 있다. 따라서, 생각을 표현하거나 악상을 나타내거나 보이지 않는 지식을 나타내는 등의 학과와 그러한 직업에 적성이 있다고 할 수 있다.

희신은 계수, 지장간에 있으므로 -> 재능을 활용하는 것에 있어서 영감을 주는 사람이나 지식을 가르쳐주는 사람, 아이디어를 떠오르게 만들어주는 사람이 있다.

확장성은 병화, 천간과 지장간에 있으므로 -> 스스로 자신의 재능을 새로운 분야에 접목시키고자 하는 태도가 있는 것과 동시에 새로운 분야에 대해서 귀띔을 해주는 사람이 주변에 있다.

중화는 무토, 천간과 지장간에 있으므로 -> 스스로 현장 경험을 통해 자신이 알고 있는 것을 점검하려는 태도가 있음과 동시에 자신의 재능을 활용할 수 있는 기회를 제공해주는 사람이 주변에 있다.

기신
① 용신의 음양기신 을목이 지장간에 있으므로 다양한 영역에서 자신의 표현하는 재능을 사용할 수 있도록 만들어주는 사람이나 기회가 있고, 자신이 익힌 지식을

실제 적용할 수 있도록 만들어주는 사람이나 기회가 있다고 할 수 있다.

② 용신의 상극기신 경금이 지장간에 있으므로 생산/제조분야에서 기초적인 교육을 담당하는 기회를 만들어주는 사람이나 기회를 만날 수 있다. 또는, 예체능 계통에서 기초체력 훈련, 입문자 교육을 할 수 있도록 만들어주는 사람이나 기회가 있다고 해석할 수 있다.

③ 희신의 음양기신 임수가 천간과 지장간에 있으므로 스스로 물류, 경영, 상경 계열에 종사하며 교육활동을 하거나 이미 체계화된 지식 체계를 공부하려하며, 이러한 기회를 접하거나 이러한 학습을 할 수 있도록 만들어주는 사람이 있다고 해석할 수 있다.

상기의 풀이는 앞서 설명한 용신, 희신, 기신, 중화, 지속성, 확장성을 활용해 천간의 '스스로 그렇게 하려한다'는 해석과 지장간의 '기회나 사람'이라는 해석을 접목시켜서 해석한 것이다. 아직 해석법이 낯설겠지만, 반복적인 연습과 숙달이라는 것을 통해서 점점 해석하기가 수월해질 것이다. 사주풀이에 있어서는 지속적인 적용과 연습만이 실력을 일취월장시키는 방법임을 꼭 잊지 않기를 바란다.

[부록] 용신별 진로와 적성 - 직업을 중심으로

  본 부록에서는 용신이 희신이 있을 때와 없을 때 어떤 방식으로
진로, 적성을 찾는지에 대한 예시를 보여줄 것이다. 모든 예시에 대
해서 그 예시를 얻기까지의 방법을 참고하여 용신과 희신, 그리고
기신 등을 조합하여 진로와 적성 분야를 찾으면 된다. 단, 용신과
희신 그리고 기신을 해석하는 것에 있어서는 **예시의 내용들에만 능
력을 국한시켜서는 안된다. <u>직업을 찾는 방법을 참조하는 것이 본
부록을 제시하는 목적</u>**임을 알아두었으면 한다. 예시는 '국가직무능
력표준 (NCS, National Competency Standards)'를 참고하여 작성
하였다.

예시)

계수용신
희신: 갑목
용신의 상극기신: 정화
용신의 음양기신: 임수
희신의 상극기신: 경금
희신의 음양기신: 을목

계수용신
계수용신이 교육·자연·사회과학 분야에 종사한다면
계+갑
교육·자연·사회과학

-> 직업교육 직업 예시) 직업교육 교사 온라인 교육 강사 식품 과학 교육가 직업 상담사 직업훈련 코디네이터 등	
계+갑+정	**계+갑+임**
교육·자연·사회과학 -> 직업교육 -> 이러닝 -> 이러닝 콘텐츠 개발 -> 이러닝 운영 기획 관리 직업 예시) 이러닝 기획자 이러닝 프로젝트 매니저 이러닝 코디네이터 이러닝 콘텐츠 관리자 이러닝 시스템 관리자 등	교육·자연·사회과학 -> 직업교육 -> 이러닝 -> 이러닝 과정 운영 -> 이러닝 산업파악 직업 예시) 이러닝 시장 분석가 이러닝 산업 리서처 이러닝 트렌드 전문가 이러닝 데이터 과학자 이러닝 정책 분석가 등
계+갑+경	**계+갑+을**
교육·자연·사회과학 -> 직업교육 -> 이러닝 -> 이러닝 콘텐츠 개발	교육·자연·사회과학 -> 직업교육 -> 직업교육 -> 기업교육

-> 학습지원기능 개발 직업 예시) 교육 소프트웨어 개발자 학습 관리 시스템(LMS) 개발 자 인터랙티브 콘텐츠 개발자 교육 앱 개발자 AI 학습 도구 개발자 등	-> 교육체계 수립 직업 예시) 교육 정책 분석가 교육 프로그램 개발자 교육 컨설턴트 교육 행정가 교육 기획자 등
계+갑+정+경	**계+갑+정+을**
교육·자연·사회과학 -> 직업교육 -> 이러닝 -> 이러닝 콘텐츠 개발 -> 프로토타입개발 직업 예시) 교육 소프트웨어 프로토타입 개 발자 가상 교실(Virtual Classroom) 개발자 학습 관리 시스템(LMS) 프로 토타입 개발자 교육 게임 프로토타입 디자이너 AI 튜터링 시스템 개발자 등	교육·자연·사회과학 -> 직업교육 -> 이러닝 -> 이러닝 콘텐츠 개발 -> 학습자 시스템 환경분석 직업 예시) 학습 분석가 교육 데이터 과학자 학습 환경 평가 전문가 사용자 경험(UX) 리서처 교육 시스템 분석가 등
계+갑+임+경	**계+갑+임+을**

교육·자연·사회과학 -> 직업교육 -> 이러닝 -> 이러닝 과정 운영 -> 이러닝운영 결과관리 직업 예시) 이러닝 성과 분석가 교육 데이터 분석가 학습 성과 평가 전문가 이러닝 통계 분석가 교육 프로그램 평가자 등	교육·자연·사회과학 -> 직업교육 -> 이러닝 -> 이러닝 과정 운영 -> 이러닝운영 학습자관리 직업 예시) 이러닝 학습자 관리자 교육 코디네이터 학습 관리 시스템(LMS) 관리자 이러닝 사용자 지원 담당자 학생 지원 서비스 관리자 등
계+갑+정+임	**계+갑+경+을**
교육·자연·사회과학 -> 직업교육 -> 이러닝 -> 이러닝 과정 운영 -> 이러닝 운영 업무협력 직업 예시) 이러닝 파트너십 관리자 교육 프로그램 코디네이터 산학 협력 코디네이터 이러닝 컨소시엄 관리자 교육 협력 프로젝트 매니저 등	교육·자연·사회과학 -> 직업교육 -> 이러닝 -> 이러닝 과정 운영 -> 이러닝 운영 활동관리 직업 예시) 이러닝 커뮤니티 관리자 교육 프로그램 코디네이터 학습 관리 시스템(LMS) 관리자 이러닝 프로젝트 매니저 교육 콘텐츠 관리자 등

계+갑+정+임+을	계+갑+임+경+을
교육·자연·사회과학 -> 직업교육 -> 이러닝 -> 이러닝 콘텐츠 개발 -> 콘텐츠 개발 전략 수립 직업 예시) 콘텐츠 전략기획자 콘텐츠 마케팅 전략가 콘텐츠 리서치 전문가 콘텐츠 배포 전략가 콘텐츠 품질 관리자 등	교육·자연·사회과학 -> 직업교육 -> 이러닝 -> 이러닝 과정 운영 -> 이러닝 운영 교육과정 관리 직업 예시) 이러닝 교육 컨설턴트 교육 과정 품질 관리자 교육 과정 통합 관리자 교육 자료 관리자 학습 성과 분석가 등
계+갑+정+임+경	**계+갑+정+경+을**
교육·자연·사회과학 -> 직업교육 -> 이러닝 -> 이러닝 콘텐츠 개발 -> 콘텐츠 개발 환경 분석 직업 예시) 콘텐츠 분석가 사용자 경험(UX) 리서처 콘텐츠 사용성 평가자 콘텐츠 품질 분석가 콘텐츠 트렌드 분석가 등	교육·자연·사회과학 -> 직업교육 -> 이러닝 -> 이러닝 콘텐츠 개발 -> 콘텐츠 설계 전략 분석 직업 예시) 콘텐츠 전략 분석가 콘텐츠 품질 분석가 콘텐츠 마케팅 전략가 콘텐츠 개발 분석가 콘텐츠 전략 매니저 등

계+갑+정+임+경+을
교육·자연·사회과학 -> 직업교육 -> 이러닝 -> 이러닝 과정 운영 -> 이러닝 운영 통합 관리 직업 예시) 이러닝 통합 관리자 학습 관리 시스템(LMS) 통합 관리자 교육 프로그램 통합 관리자 이러닝 프로젝트 통합 매니저 교육 기술 통합 관리자 등

계수용신이 희신이 없을 때

계수용신	
희신이 없는 계수용신이 교육·자연·사회과학 분야에 종사한다면	
계+정	계+임
교육·자연·사회과학의 분야에 종사하나 그 분야에서 재무, 기술, 응용학 문 관련 활동을 함 직업 예시)	교육·자연·사회과학의 분야에 종사하나 문화 전달, 콘텐츠 보급, 컨설 팅, 선교, 해외 트렌드 분석 관 련 활동을 함

교수법 전문가 사회과학 연구원 환경재정 전문가 자연과학 연구원 연구재정 관리자 등	직업 예시) 문화 콘텐츠 번역가 글로벌 트렌드 분석가 해외 시장 조사원 선교사 해외 문화 협력 전문가 등
계+경	**계+을**
교육·자연·사회과학의 분야에 종사하나 디자인, 훈련 관련 활동을 함 직업 예시) 교재 디자이너 자연과학 시각화 전문가 사회과학 시각 자료 디자이너 학술 워크숍 기획자 사회과학 교육 프로그램 개발자 등	교육·자연·사회과학의 분야에 종사하나 고등 교육, 운영 보조 (HR, 총 무), 사법/규율 관련 활동을 함 직업 예시) 대학 행정 직원 교육 총무 담당자 교육 규정 준수 관리자 연구 윤리 담당자 교육 정책 분석가 등
계+정+경	**계+정+을**
교육·자연·사회과학의 분야에 종사하나 상기 분야를 응용하는 것에 더 관심을 갖거나 예체능 계통으로 응용하여 활동을 함 직업 예시)	교육·자연·사회과학의 분야에 종사하나 고등 교육, 운영 보조 (HR, 총 무), 사법/규율의 효율성 검토 관련 활동을 함 직업 예시)

교육 콘텐츠 크리에이터 과학 교육 유튜버 교육용 게임 디자이너 사회과학 다큐멘터리 제작자 사회과학 애니메이터 등	고등 교육 평가 전문가 학문적 성과 분석가 대학 운영 효율성 분석가 교육 데이터 분석가 학생 지원 서비스 평가자 등
계+임+경	**계+임+을**
교육·자연·사회과학의 분야에 종사하나 대량 정보의 데이터베이스화, 외부 정보 선별작업 관련 활동 을 함 직업 예시) 교육 빅데이터 전문가 연구 데이터 관리자 학술 데이터베이스 설계자 교육 정보학 전문가 사회과학 데이터 분석가 등	교육·자연·사회과학의 분야에 종사하나 문화·국제적 다양성 관련 관점 을 활용하여 상기 분야의 활동 을 함 직업 예시) 글로벌 교육 프로그램 개발자 교환학생 담당자 국제 교육 컨설턴트 국제 학술 협력 전문가 다문화 교육 정책 분석가 등
계+정+임	**계+경+을**
교육·자연·사회과학의 분야에 종사하나 산업분야 전반에서 아이디어를 얻어 연구하는 활동을 함 직업 예시) 사회과학 산업 연구자	교육·자연·사회과학의 분야에 종사하나 이 분야의 연구 방법론, 연구 결과 적용 방법론 등을 구축하 는 활동을 함 직업 예시)

교육 산업 트렌드 분석가 산업 연계 교육 기획자 산업 연계 과학자 사회과학 혁신 연구자 등	자연/사회과학 연구 방법론 전 문가 학술 평가 컨설턴트 연구 성과 분석가 연구 데이터 매니저 연구 설계 코디네이터 등
계+정+임+을	**계+임+경+을**
교육·자연·사회과학의 분야에 종사하나 산업분야 전반에서 인적 자원 관리 체계를 기획하는 활동을 함 직업 예시) 연구소 HR 담당자 교육 기관 인사 관리자 과학 인사 정책 분석가 교육 HR 데이터 분석가 학술 인재 개발 코디네이터 등	교육·자연·사회과학의 분야에 종사하나 산업과 활용도 측면에 대한 기 준을 바탕으로 시스템 연구 관 련 활동을 함 직업 예시) 교육 시스템 분석가 사회과학 시스템 분석가 연구 데이터 시스템 관리자 연구 프로세스 설계자 학술 정보 시스템 분석가 등
계+정+임+경	**계+정+경+을**
교육·자연·사회과학의 분야에 종사하나 생산·제조 관련 산업분야에서 아이디어를 얻어 연구하는 활동 을 함	교육·자연·사회과학의 분야에 종사하나 생산체계 등에 대한 원론적인 연구 활동을 함 직업 예시)

직업 예시) 교육 제품 개발자 교육 산업 분석가 교육 장비 연구원 교육 장비 설계자 생산 교육 연구원 등	교육 시스템 연구자 교육 정책 연구원 생산 이론 연구원 학술 연구 설계자 교육 효율성 연구자 등

계＋정＋임＋경＋을

교육·자연·사회과학의 분야에 종사하나
생산·제조·판매·유통 관련 전반적인 분야에 대한 연구활동을 함

직업 예시)
교육 기술 연구원
학술연구 제품 판매 기획자
교육 서비스 마케팅 연구자
학술연구 제품 개발자
생산/물류/유통 관련 연구원

갑목용신

희신: 계수

용신의 상극기신: 경금

용신의 음양기신: 을목

희신의 상극기신: 정화

희신의 음양기신: 임수

갑목용신
갑목용신이 섬유·의복 분야에 종사한다면
갑+계
섬유·의복 -> 패션 직업 예시) 패션 쇼 기획자 패션 저널리스트 패션 잡지 에디터 패션 브랜드 전략가 패션 제품 개발자 등

갑+계+경	갑+계+을
섬유·의복 -> 패션 -> 패션제품기획 -> 패션디자인 -> 패션상품 시제품 개발	섬유·의복 -> 패션 -> 패션제품기획 -> 패션기획 -> 시즌전략수립

직업 예시) 패션 소재 개발자 의류 핏 모델 패션 CAD 디자이너 의류 샘플 코디네이터 패션 생산 기획자 등	직업 예시) 패션 제품 테스트 전문가 패션 시즌 기획자 시즌 상품 개발자 시즌 캠페인 매니저 시즌 광고 기획자 등
갑+계+정	**갑+계+임**
섬유·의복 -> 패션 -> 패션제품기획 -> 패턴 -> 패션상품 생산기술 지도	섬유·의복 -> 패션 -> 패션제품유통 -> 의류유통관리 -> 의류 유통환경 분석
직업 예시) 의류 생산 기술자 의류 제조 기술 컨설턴트 의류 기술 교육자 의류 생산 엔지니어 의류 생산 계획자 등	직업 예시) 패션 유통 전략가 의류 시장 분석가 패션 물류 전문가 패션 트렌드 분석가 의류 물류 코디네이터 등
갑+계+경+정	**갑+계+을+정**
섬유·의복 -> 패션 -> 패션제품기획 -> 비주얼머천다이징 -> 패션상품디스플레이	섬유·의복 -> 패션 -> 패션제품생산 -> 패션소품생산 -> 패션소품 양산 계획

직업 예시) 비주얼 머천다이저 쇼룸 디자이너 패션 포토그래퍼 전시 디자이너 패션 스타일리스트 등	직업 예시) 액세서리 생산 기획자 패션 소품 브랜드 매니저 패션 소품 제품 개발자 액세서리 생산 계획자 액세서리 원가 분석가 등
갑+계+경+임	**갑+계+을+임**
섬유·의복 -> 패션 -> 패션제품유통 -> 의류유통관리 -> 의류재고상품관리 직업 예시) 의류 물류/유통 관리자 의류 리테일 매니저 의류 구매 담당자 물류 네트워크 분석가 의류 판매 데이터 관리자 등	섬유·의복 -> 패션 -> 패션제품유통 -> 의류유통관리 -> 의류 온라인 유통관리 직업 예시) 이커머스 매니저 온라인 스토어 매니저 이커머스 물류 전문가 고객 서비스 매니저 이커머스 플랫폼 관리자 등
갑+계+경+을	**갑+계+정+임**
섬유·의복 -> 패션 -> 패션제품유통 -> 의류유통관리 -> 의류 판매촉진 관리	섬유·의복 -> 패션 -> 패션제품유통 -> 의류유통관리 -> 의류 가격전략수립

직업 예시) 프로모션 기획자 소셜 미디어 마케터 인플루언서 마케팅 전문가 프로모션 분석가 포인트 오브 세일즈 (POS) 관 리자 등	직업 예시) 가격 전략/정책 분석가 의류 가격 책정 컨설턴트 비용 분석가 시장 가격 분석가 가격 모델링 전문가 등
갑+계+경+정+임	**갑+계+을+정+임**
섬유·의복 -> 패션 -> 패션제품유통 -> 의류유통관리 -> 의류 상품 운영 직업 예시) 재고 회전율 분석가 리테일 운영 관리자 의류 생산 관리자 공급망 관리자 의류 유통 관리자 등	섬유·의복 -> 패션 -> 패션제품유통 -> 의류유통관리 -> 의류유통 커뮤니케이션 관 리 직업 예시) 고객 서비스 매니저 소셜 미디어 마케터 브랜드 커뮤니케이션 전문가 의류 마케팅 커뮤니케이션 매니 저 유통 네트워크 관리자 등
갑+계+경+을+정	**갑+계+경+을+임**
섬유·의복 -> 패션	섬유·의복 -> 패션

-> 패션제품생산 -> 패션소품생산 -> 패션소품 본작업 생산 기획 직업 예시) 패션 액세서리 생산 기획자 액세서리 생산 매니저 패션 소품 제품 개발자 액세서리 제조 기획자 액세서리 생산 기술 개발자 등	-> 패션제품생산 -> 패션소품생산 -> 패션소품 스마트 생산관리 직업 예시) 패션 소품 생산 자동화 엔지니어 소품 생산 최적화 전문가 스마트 공급망 관리자 패션 소품 생산 로봇 공학자 패션 소품 스마트 팩토리 운영자 등

갑+계+경+을+정+임

섬유·의복
-> 패션
-> 패션제품기획
-> 패션기획
-> 패션브랜드 전략 기획

직업 예시)
패션 브랜드 커뮤니케이션 디렉터
패션 브랜드 캠페인 기획자
패션 브랜드 아이덴티티 디자이너
패션 브랜드 파트너십 매니저
패션 브랜드 컨설턴트 등

갑목용신이 희신이 없을 때

갑목용신	
갑목용신이 섬유·의복 분야에 종사한다면	
갑+경	갑+을
섬유·의복의 분야에 종사하나 섬유·의복 생산 관련 활동을 함 직업 예시) 섬유 생산 관리자 섬유 기술자 의복 패턴 메이커 의복 샘플 제작자 섬유 소재 연구원 등	섬유·의복의 분야에 종사하나 섬유·의복 활용도 예측 관련 활동을 함 직업 예시) 패션 마켓 리서처 의류 소비자 행동 분석가 의복 활용도 연구원 의복 사용 패턴 연구원 패션 비즈니스 애널리스트 등
갑+정	갑+임
섬유·의복의 분야에 종사하나 의복 수선·생산 기술 교육 관련 활동을 함 직업 예시) 봉제 기술 강사 섬유 기술 교육자 패턴 메이킹 강사 의류 생산 워크숍 지도자 섬유공학 교수 등	섬유·의복의 분야에 종사하나 섬유·의복에 대한 시장성 분석 관련 활동을 함 직업 예시) 의복/섬유 시장 분석가 패션 마켓 리서처 의복 시장성 분석가 의류 판매 예측 전문가 섬유 수출입 분석가 등
갑+경+정	갑+을+정

섬유·의복의 분야에 종사하나 리사이클링·업사이클링 실무자 등으로 활동할 수 있음 직업 예시) 섬유 리사이클링 전문가 의류 재활용 기술자 지속 가능 패션 디자이너 섬유 재생 공학자 재생 섬유 제품 개발자 등	섬유·의복의 분야에 종사하나 디자인·생산 기술의 원론 영역에서 활동을 함 직업 예시) 의복 구조 분석가 의류 기술 개발자 의류 디자인 교수 섬유 과학자 패션 디자인 이론가 등
갑+경+임	**갑+을+임**
섬유·의복의 분야에 종사하나 해외 수출용 재고 관리 관련 활동을 함 직업 예시) 해외 수출 재고 관리자 수출입 통관 전문가 섬유 수출 담당자 수출 재고 컨설턴트 해외 의류 유통 전문가 등	섬유·의복의 분야에 종사하나 섬유·의복 시장 트렌드 예측 관련 활동을 함 직업 예시) 패션 트렌드 리포터 섬유 시장 조사 분석가 패션 미래학자 섬유 트렌드 리서처 의류 소비자 행동 분석가 등
갑+경+을	**갑+정+임**
섬유의 분야에 종사하나 섬유·의복 관련 악세사리 제작 관련 활동을 함	섬유·의복의 분야에 종사하나 섬유·의복 생산과 유통에 대한 전략·기획 활동을 함

직업 예시) 의복 부속품 제작자 패션 액세서리 제작자 액세서리 샘플 제작자 패션 액세서리 생산 설비 제작자 섬유 가공 도구 제작자 등	직업 예시) 의복 생산/유통 전략 기획자 의류 물류 기획자 의류 유통 채널 전략가 생산 효율성 전문가 유통 물류 분석가 등
갑+경+정+임	**갑+을+정+임**
섬유·의복의 분야에 종사하나 섬유·의복의 기능성과 시장성과 관련된 활동을 함 직업 예시) 기능성 의류 제작자 기능성 의류 시장 동향 분석가 섬유 경제 분석가 기능성 섬유 연구개발자 기능성 의류 판매 예측 전문가 등	섬유·의복의 분야에 종사하나 섬유·의복의 원천기술과 기술의 시장 적용과 관련된 활동을 함 직업 예시) 의류 기술 트렌드 분석가 섬유 기술 상용화 전문가 의류 기술 프로젝트 매니저 섬유 기술 이전 코디네이터 섬유 기술 특허 전문가 등
갑+경+을+정	**갑+경+을+임**
섬유·의복의 분야에 종사하나 리사이클링·업사이클링·리폼 관 련 작업지시서 작성 관련 활동 을 함 직업 예시)	섬유·의복의 분야에 종사하나 레플리카 판매 관련 활동을 함 직업 예시) 레플리카 마케팅 매니저 레플리카 구매 관리자

리폼 프로젝트 코디네이터 의류 리사이클링 기획자 업사이클링 디자인 매니저 리폼 패션 디자이너 리사이클링 생산 관리자 등	레플리카 판매 전략가 레플리카 유통 전문가 레플리카 시장 조사 분석가 등
갑+경+을+정+임	
섬유·의복의 분야에 종사하나 섬유·의복 생산/유통/판매/시장분석 등 전반에 대한 실무와 기획 관련 활동을 함 직업 예시) 패션 제품 생산 및 유통 기획자 의류 머천다이저 패션 생산 및 마케팅 매니저 패션 리테일 매니저 의복 유통 코디네이터 등	

을목용신
희신: 병화
용신의 상극기신: 신금
용신의 음양기신: 갑목
희신의 상극기신: 임수
희신의 음양기신: 정화

을목용신
을목용신이 영업판매 분야에 종사한다면

을+병
영업판매 -> 영업 직업 예시) 영업 관리자 영업 지원 전문가 영업 컨설턴트 영업 전략가 영업 팀 리더 등

을+병+신	을+병+갑
영업판매 -> 영업 -> 일반·해외영업 -> 일반영업 -> 영업 성과관리 직업 예시) 영업 성과 분석가 영업 성과 데이터 매니저 영업 성과 향상 컨설턴트 영업 성과 리포팅 관리자 영업 성과 개선 전문가 등	영업판매 -> 영업 -> 일반·해외영업 -> 일반영업 -> 영업 고객발굴 직업 예시) 신규 고객 개발 매니저 잠재 고객 분석가 고객 관계 구축 매니저 신규 비즈니스 개발자 영업 인바운드 마케팅 전문가 등

을+병+임	을+병+정
영업판매	영업판매

-> 영업	-> 영업
-> 일반·해외영업	-> 일반·해외영업
-> 일반영업	-> 일반영업
-> 영업 환경분석	-> 영업 전략수립
직업 예시)	직업 예시)
시장 분석가	영업 전략 컨설턴트
영업 트렌드 분석가	영업 프로세스 설계자
고객 인사이트 분석가	영업 성장 전략가
영업 전략/리스크 분석가	영업 운영 전략가
영업 데이터 분석가 등	비즈니스 개발 매니저 등
을+병+신+임	**을+병+갑+임**
영업판매	영업판매
-> 영업	-> 영업
-> 일반·해외영업	-> 일반·해외영업
-> 일반영업	-> 일반영업
-> 영업 고객유지관리	-> 영업 고객불만관리
직업 예시)	직업 예시)
고객 서비스 매니저	고객 피드백 관리자
고객 로열티 프로그램 매니저	클레임 분석가
리텐션 마케팅 전문가	고객 이슈 해결 전문가
애프터세일즈 서비스 관리자	콜센터 매니저
고객 유지 전략가 등	고객 불만 처리 상담원 등
을+병+신+정	**을+병+갑+정**
영업판매	영업판매

-> 영업 -> 일반·해외영업 -> 일반영업 -> 영업 계약체결관리 직업 예시) 계약 관리 매니저 계약 법률 고문 계약 검토자 계약 리스크 분석가 계약 준수 관리자 등	-> 판매 -> 일반판매 -> 매장판매 -> 매장 영업 관리 직업 예시) 매장 슈퍼바이저 매장 판매 관리자 매장 재고 관리자 매장 디스플레이 코디네이터 매장 인력 관리자 등
을+병+신+갑	**을+병+임+정**
영업판매 -> 영업 -> 일반·해외영업 -> 일반영업 -> 영업 제안 직업 예시) 제안서 작성 전문가 제안서 기획자 RFP(제안 요청서) 관리자 영업 프레젠테이션 전문가 영업 문서 작성자 등	영업판매 -> 영업 -> 일반·해외영업 -> 일반영업 -> 영업 계약이행관리 직업 예시) 계약 준수 관리자 이행 모니터링 전문가 이행 리스크 관리자 이행 일정 조정자 이행 데이터 분석가 등
을+병+신+임+정	**을+병+갑+임+정**
영업판매	영업판매

-> 판매 -> 일반판매 -> 매장판매 -> 판매 기본 정보 분석 직업 예시) 판매 데이터 분석가 판매 트렌드 분석가 매출 분석 전문가 시장 데이터 분석가 판매 예측 분석가 등	-> 판매 -> 일반판매 -> 매장판매 -> 고객 요구 관리 직업 예시) 고객 요구 관리자 고객 서비스 매니저 고객 요구 조사 전문가 고객 만족도/피드백 관리자 고객 데이터 분석가 등
을+병+신+갑+임	**을+병+신+갑+정**
영업판매 -> 판매 -> 일반판매 -> 매장판매 -> 매장 판매 교육 직업 예시) 판매 교육 매니저 판매 기술 트레이너 매장 직원 교육 담당자 고객 서비스 교육 전문가 제품 지식 교육자 등	영업판매 -> 판매 -> 일반판매 -> 매장판매 -> 매장 판매 상담 직업 예시) 매장 고객 지원 담당자 제품 상담 전문가 매장 세일즈 어드바이저 세일즈 컨설턴트 매장 피드백 담당자 등
을+병+신+갑+임+정	
영업판매	

```
                    -> 판매
                  -> 일반판매
                -> 매장판매
             -> 매장 경영 관리


직업 예시)
매장 운영 관리자
매장 재고 관리자
매장 판매 관리자
매장 고객 서비스 매니저
매장 인력 관리자 등
```

을목용신이 희신이 없을 때

을목용신	
을목용신이 영업판매 분야에 종사한다면	
을+신	**을+갑**
영업판매 분야에 종사하나 상품 재고 관리 관련 활동을 함	영업판매 분야에 종사하나 영업점 매니저 관련 활동을 함
직업 예시) 재고 관리 전문가 물류 및 재고 매니저 재고 데이터 분석가 상품 공급망 관리자 재고 회전율 분석가 등	직업 예시) 영업점 매니저 매장 운영 매니저 영업점 고객 서비스 매니저 영업점 마케팅 매니저 매장 디스플레이 매니저 등

을+임	을+정
영업판매 분야에 종사하나 판촉 활동을 함 직업 예시) 프로모션 매니저 판촉 기획자/전략가 광고 캠페인 매니저 판촉 이벤트 매니저 판촉 캠페인 디렉터 등	영업판매 분야에 종사하나 상품 전시/디스플레이 활동을 함 직업 예시) 비주얼 머천다이저 매장 디스플레이 매니저 매장 레이아웃 디자이너 상품 진열 전문가 매장 인테리어 디자이너 등
을+신+임	**을+갑+임**
영업판매 분야에 종사하나 상품 관련 언론 홍보 활동을 함 직업 예시) PR 매니저 미디어 리에종 PR 코디네이터 언론 홍보 전문가 미디어 관계 관리자 등	영업판매 분야에 종사하나 해외 바이어 발굴 관련 활동을 함 직업 예시) 글로벌 세일즈 매니저 수출 영업 전문가 해외 비즈니스 개발자 글로벌 마켓 리서처 해외 고객 관리 매니저 등
을+신+정	**을+갑+정**
영업판매 분야에 종사하나 상품 개량 활동을 함	영업판매 분야에 종사하나 기술 교육 관련 활동을 함

직업 예시) 제품 개선 전문가 상품 디자인 개선 전문가 제품 테스트 매니저 상품 성능 분석가 상품 피드백 관리자 등	직업 예시) 제품 교육 전문가 제품 데모 트레이너 기술 트레이닝 디렉터 영업 교육 프로그램 개발자 제품 교육 매니저 등
을+신+갑	**을+임+정**
영업판매 분야에 종사하나 상품 대중성 검토 관련 활동을 함 직업 예시) 제품 인기도 평가 전문가 상품 피드백 분석가 소비자 행동 분석가 제품 경쟁력 분석가 고객 만족도 분석가 등	영업판매 분야에 종사하나 신규 상품 런칭 기획 관련 활동을 함 직업 예시) 제품 기획자 제품 개발 매니저 런칭 캠페인 디렉터 런칭 프로젝트 매니저 고객 인사이트 분석가 등
을+신+임+정	**을+갑+임+정**
영업판매 분야에 종사하나 상품 관련 학술 자료 작성 활동을 함 직업 예시) 상품 매뉴얼 작성자 제품 카탈로그 작성자	영업판매 분야에 종사하나 신규 상품의 수요 예측 관련 활동을 함 직업 예시) 제품 수요 예측 매니저 판매 예측 전문가

제품 데이터 시트 작성자 제품 연구 보고서 작성자 학술 자료 편집자 등	제품 트렌드 분석가 수요 예측 모델러 제품 라이프사이클 분석가 등
을+신+갑+임	**을+신+갑+정**
영업판매 분야에 종사하나 해외 영업/판매 관련 활동을 함 직업 예시) 글로벌 세일즈 매니저 해외 마케팅 전문가 해외 고객 관리 매니저 해외 거래처 개발자 해외 유통 관리자 등	영업판매 분야에 종사하나 상품 관련 기술적 서포트 관련 활동을 함 직업 예시) 제품 기술 지원 매니저 애프터세일즈 기술 지원 담당자 기술 서비스 엔지니어 고객 기술 지원 전문가 제품 설치 지원 전문가 등

을+신+갑+임+정

영업판매 분야에 종사하나
상품의 생산/유통 총괄 활동을 함

직업 예시)
생산/유통 총괄 매니저
공급망 관리 매니저
재고 관리 매니저
물류 총괄 디렉터
유통 센터 관리자 등

병화용신

희신: 을목

용신의 상극기신: 임수

용신의 음양기신: 정화

희신의 상극기신: 신금

희신의 음양기신: 갑목

병화용신	
병화용신이 경비분야에 종사한다면	
병+을	
경비·청소 -> 경비 -> 경비·경호 -> 보안 직업 예시) 정보 보안 분석가 보안 운영 센터(SOC) 분석가 IT 감사 전문가 보안 인시던트 대응 전문가 보안 정책 및 규제 전문가 등	
병+을+임	**병+을+정**
경비·청소 -> 경비 -> 경비·경호 -> 보안	경비·청소 -> 경비 -> 경비·경호 -> 보안

-> 경비고객관계관리	-> 경비계획
직업 예시) 고객 서비스 매니저 고객 지원 담당자 콜 센터 관리자 CRM 관리자 VOC(Voice of Customer) 분석 가 등	직업 예시) 보안 컨설턴트 보안 코디네이터 보안 운영 관리자 보안 시스템 설계자 기업 보안 책임자 등
병+을+신	**병+을+갑**
경비·청소 -> 경비 -> 경비·경호 -> 보안 -> 보고문서관리 직업 예시) 기록 보관 담당자 데이터 분석가 정보 관리 전문가 데이터베이스 관리자 아카이브 전문가 등	경비·청소 -> 경비 -> 경비·경호 -> 보안 -> 국가법체계교육 직업 예시) 법학 교수 (보안 전공) 보안 법규 교육 관리자 경호 관련 법규 연구원 보안 법규 교재 개발자 경비 법규 세미나 강사 등
병+을+임+신	**병+을+임+갑**
경비·청소 -> 경비 -> 경비·경호	경비·청소 -> 경비 -> 경비·경호

-> 보안 -> 기계경비시스템설치관리 직업 예시) CCTV 설치 및 유지보수 관리 자 경보 시스템 설치 관리자 출입 통제 시스템 설치 관리자 무인 경비 시스템 설치 관리자 스마트 홈 보안 설치 관리자 등	-> 보안 -> 질서유지 직업 예시) 경호원 치안 유지관 교통 경찰관 보안 요원 공공 안전 관리자 등
병+을+정+신	**병+을+정+갑**
경비·청소 -> 경비 -> 경비·경호 -> 보안 -> 보안장비운용관리 직업 예시) 보안 장비 유지보수 관리자 보안 시스템 인프라 관리자 보안 장비 운영 엔지니어 보안 장비 통합 관리자 보안 장비 인스톨러 등	경비·청소 -> 경비 -> 경비·경호 -> 보안 -> 경비관련법규현장적용 직업 예시) 경호 팀장 보안 감독관 공공 시설 보안 관리자 출입 통제 시스템 관리자 보안 정책 분석가 등
병+을+임+정	**병+을+신+갑**
경비·청소 -> 경비	경비·청소 -> 경비

-> 경비·경호 -> 보안 -> 기계경비기획 직업 예시) CCTV 시스템 기획자 경보 시스템 기획자 출입 통제 시스템 기획자 무인 경비 시스템 설계자 스마트 보안 솔루션 기획자 등	-> 경비·경호 -> 보안 -> 정보보안실행 직업 예시) 네트워크 보안 엔지니어 사이버 보안 전문가 보안 소프트웨어 개발자 디지털 포렌식 분석가 악성코드 분석가 등
병+을+임+정+신	**병+을+임+정+갑**
경비·청소 -> 경비 -> 경비·경호 -> 보안 -> 총기탄약유지관리 직업 예시) 무기고 관리자 탄약 보관 관리자 총기 유지보수 전문가 무기 안전 관리자 무기 수리 기술자 등	경비·청소 -> 경비 -> 경비·경호 -> 보안 -> 범인공격대응 직업 예시) SWAT 팀원 경찰 특공대 요원 인질 구출 전문가 대테러 대응 팀원 범죄 현장 대응 요원 등
병+을+신+갑+임	**병+을+신+갑+정**
경비·청소 -> 경비	경비·청소 -> 경비

-> 경비·경호 -> 보안 -> 경계방비 직업 예시) 국경 순찰 요원 해안 경비대원 군사 경비 요원 공항 보안 담당자 시설 보안 관리자 등	-> 경비·경호 -> 보안 -> 호송장비운용관리 직업 예시) 호송 차량 운전사 호송 장비 운영 관리자 호송 차량 정비사 호송 장비 설치 전문가 호송 통신 장비 관리자 등

병+을+임+정+신+갑

경비·청소
-> 경비
-> 경비·경호
-> 보안
-> 보안관제

직업 예시)
보안관제센터 운영자
침입 탐지 시스템 운영자
사이버 보안 관제 요원
보안관제 엔지니어
실시간 보안 모니터링 전문가 등

병화 용신이 희신이 없을 때

병화용신	
병화용신이 경비분야에 종사한다면	
병+임	**병+정**
경비분야에 종사하나 사업성 검토 관련 활동을 함 직업 예시) 경비 사업 분석가 보안 사업 개발 관리자 경비 사업 컨설턴트 경비 서비스 기획자 보안 프로젝트 매니저 등	경비분야에 종사하나 재무 관리 관련 활동을 함 직업 예시) 경비 재무 관리자 보안 예산 분석가 보안 비용 관리자 경비 재무 컨설턴트 보안 회계 관리자 등
병+신	**병+갑**
경비분야에 종사하나 직무적합도 분석, 인력 배치 관 련 활동을 함 직업 예시) 경비 인력 배치 관리자 경비 인사 관리자 경비 직무 적합성 분석가 보안 인력 최적화 전문가 경비 인력 트레이너 등	경비분야에 종사하나 직원 기초교육 관련 활동을 함 직업 예시) 보안 교육 전문가 경비 신입 교육 담당자 보안 인력 교육 관리자 경비 기초교육 트레이너 경비 직무교육 전문가 등
병+임+신	**병+임+갑**
경비분야에 종사하나 투자 유치 관련 활동을 함	경비분야에 종사하나 경비 시스템 영업 활동을 함

직업 예시) 경비 투자 유치 전문가 보안 투자 기획자 경비 펀드레이징 전문가 경비 자금 조달 전문가 보안 벤처 캐피털리스트 등	직업 예시) 경비 시스템 판매 전문가 경비 시스템 영업 컨설턴트 보안 기술 영업 관리자 보안 시스템 세일즈 엔지니어 경비 시스템 마케팅 전문가 등
병+정+신	**병+정+갑**
경비분야에 종사하나 경비 시스템 개발 관련 활동을 함 직업 예시) 보안 시스템 개발자 경비 시스템 엔지니어 보안 소프트웨어 개발자 경비 시스템 프로그래머 경비 시스템 UX/UI 디자이너 등	경비분야에 종사하나 자동화 경비 시스템 교육 관련 활동을 함 직업 예시) 자동화 경비 시스템 교육 관리 자 경비 시스템 트레이닝 담당자 보안 자동화 교육 컨설턴트 경비 기술 교육 매니저 자동화 보안 시스템 교육 강사 등
병+임+정	**병+신+갑**
경비분야에 종사하나 경비 자동화 시스템 운영관리 관련 활동을 함 직업 예시)	경비분야에 종사하나 경비 직원 복리후생 관리 관련 활동을 함 직업 예시)

자동화 경비 시스템 운영 관리자 보안 자동화 시스템 관리자 경비 자동화 시스템 엔지니어 보안 자동화 운영 전문가 경비 자동화 시스템 모니터링 전문가 등	경비 직원 복리후생 관리자 경비 직원 복지 담당자 경비 직원 복리후생 컨설턴트 경비 직원 복지 프로그램 매니저 경비 직원 건강 관리 관리자 등
병+임+정+신	**병+임+정+갑**
경비분야에 종사하나 자동화 경비 시스템 안정화 관련 활동을 함 직업 예시) 자동화 경비 시스템 안정화 관리자 경비 자동화 시스템 안정성 분석가 보안 시스템 안정화 전문가 자동화 경비 시스템 품질 관리자 경비 시스템 운영 안정성 관리자 등	경비분야에 종사하나 자동화 경비 시스템 최적화 관련 활동을 함 직업 예시) 자동화 경비 시스템 최적화 관리자 보안 시스템 최적화 전문가 보안 자동화 최적화 컨설턴트 경비 시스템 운영 최적화 관리자 보안 자동화 시스템 효율성 분석가 등
병+신+갑+임	**병+신+갑+정**
경비분야에 종사하나 경비 시스템 해외 수주 활동을 함	경비분야에 종사하나 신규 경비 시스템 개발 관련 활동을 함

직업 예시) 보안 시스템 해외 영업 관리자 보안 솔루션 해외 마케팅 전문가 경비 시스템 해외 사업 개발자 보안 시스템 수출 코디네이터 경비 시스템 국제 세일즈 매니저 등	직업 예시) 경비 시스템 개발자 보안 솔루션 엔지니어 보안 소프트웨어 개발자 경비 시스템 아키텍트 보안 시스템 디자이너 등

병+임+정+신+갑

경비분야에 종사하나
자동화 경비 시스템 개발/운영관리 총괄업무를 함

직업 예시)
자동화 경비 시스템 총괄 관리자
자동화 경비 시스템 개발 리더
보안 자동화 시스템 운영 책임자
보안 기술 운영 디렉터
보안 솔루션 개발 총괄 관리자 등

정화용신
희신: 경금
용신의 상극기신: 계수
용신의 음양기신: 병화
희신의 상극기신: 갑목
희신의 음양기신: 신금

정화용신
정화용신이 경영·회계·사무분야에 종사한다면
정+경

경영·회계·사무
-> 재무·회계
-> 재무or회계
-> 예산or자금or 회계·감사or세무

직업 예시)
공인회계사(CPA)
재무 관리자
예산 기획자
자금 관리 컨설턴트
세무 컨설턴트 등

정+경+계	정+경+병
경영·회계·사무	경영·회계·사무
-> 재무·회계	-> 재무·회계
-> 재무	-> 재무
-> 자금	-> 자금
-> 자금계획 수립	-> 자금운용
직업 예시)	직업 예시)
재정 자문가	투자 포트폴리오 매니저
자산 관리사	펀드 매니저
기업 재무 기획자	자금 운용 분석가
투자 기획자	주식/채권 관리자

자금 운용 전략가 등	헤지 펀드 매니저 등
정+경+갑	**정+경+신**
경영·회계·사무 -> 재무·회계 -> 재무 -> 예산 -> 부문예산 수립 직업 예시) 부문 예산 관리자 예산 관리 디렉터 재정 계획 전문가 예산 조정 매니저 재정 운영 관리자 등	경영·회계·사무 -> 재무·회계 -> 재무 -> 예산 -> 추정재무제표 작성 직업 예시) 재무 모델링 전문가 재무 예측 전문가 추정 재무 데이터 분석가 기업 재무 분석가 재무 데이터 전문가 등
정+경+계+갑	**정+경+계+신**
경영·회계·사무 -> 재무·회계 -> 재무 -> 예산 -> 연간 종합예산 수립 직업 예시) 예산 수립 전문가 재무 컨설턴트 기업 예산 분석가 연간 예산 감독관	경영·회계·사무 -> 재무·회계 -> 재무 -> 예산 -> 예산편성지침 수립 직업 예시) 재정 정책 분석가 예산 지침 전문가 예산 정책 수립자 예산 지침 컨설턴트

예산 운영 관리자 등	예산 정책 분석가 등
정+경+병+갑	**정+경+병+신**
경영·회계·사무 -> 재무·회계 -> 재무 -> 예산 -> 확정예산 운영 직업 예시) 예산 관리 운영자 예산 집행 관리자 예산 운영 감독자 예산 운영 컨설턴트 재정 운영 어드바이저 등	경영·회계·사무 -> 재무·회계 -> 재무 -> 예산 -> 예산 위험 관리 직업 예시) 예산 리스크 매니저 예산 리스크 컨설턴트 재정 위험 평가사 재정 리스크 어드바이저 예산 리스크 애널리스트 등
정+경+계+병	**정+경+갑+신**
경영·회계·사무 -> 재무·회계 -> 회계 -> 회계·감사 -> 비영리회계 직업 예시) 비영리 회계사 비영리 재무 관리자 비영리 자금 조달 관리자 비영리 재무 컨설턴트	경영·회계·사무 -> 재무·회계 -> 회계 -> 회계·감사 -> 사업결합회계 직업 예시) 사업 결합 재정 분석가 사업 결합 자문사 사업 결합 회계 코디네이터 사업 결합 재무 컨설턴트

비영리 회계 감사관	사업 결합 평가 전문가 등
정+경+계+병+갑	**정+경+계+병+신**
경영·회계·사무 -> 재무·회계 -> 회계 -> 회계·감사 -> 성과 분석 직업 예시) 회계 성과 관리 전문가 회계 성과 평가사 회계 성과 지표 전문가 회계 성과 측정 전문가 회계 성과 데이터 분석가 등	경영·회계·사무 -> 재무·회계 -> 회계 -> 회계·감사 -> 회계감사 직업 예시) 회계 감사원 재무 감사원 감사 보고 분석가 감사 컨설턴트 감사 리스크 매니저 등
정+경+계+갑+신	**정+경+병+갑+신**
경영·회계·사무 -> 재무·회계 -> 재무 -> 예산 -> 법인세 신고 준비 직업 예시) 법인세 신고 관리자 법인세 코디네이터 법인세 디렉터 법인세 정책 분석가	경영·회계·사무 -> 재무·회계 -> 재무 -> 예산 -> 세무조사 대응 직업 예시) 세무조사 대응 전문가 세무조사 컨설팅 전문가 세무조사 리스크 매니저 세무조사 대응 어드바이저

세무 고문 등	세무조사 디렉터 등
정+경+계+병+갑+신	

경영·회계·사무
-> 재무·회계
-> 회계
-> 회계·감사
-> 회계정보시스템운용

직업 예시)
회계 정보 시스템 운영자
ERP 시스템 관리자
회계 시스템 통합 전문가
회계 정보 기술 전문가
회계 소프트웨어 어드바이저 등

정화용신이 희신이 없을 때

정화용신	
정화용신이 경영·회계·사무분야에 종사한다면	
정+계	**정+병**
경영·회계·사무분야에 종사하나 운영/관리 전략 수립 관련 활동을 함	경영·회계·사무분야에 종사하나 업무 이행 검토/관리 업무 관련 활동을 함
직업 예시) 운영 전략 전문가	직업 예시) 업무 수행 감독자

사업 개발 관리자 재무 기획 전문가 경영 컨설턴트 운영 및 관리 전략 어드바이저 등	운영 감사 매니저 감사 프로젝트 매니저 규정 준수 관리자 프로세스 검토 전문가 등
정+갑	**정+신**
경영·회계·사무분야에 종사하나 경영·회계·사무분야의 재교육 활동을 함 직업 예시) 회계 세미나 강사 회계 연수 프로그램 관리자 경영 교육 프로그램 코디네이터 경영 연수 전문가 회계 훈련 코디네이터 등	경영·회계·사무분야에 종사하나 전략/기획 수립을 위한 데이터 추출 활동을 함 직업 예시) 비즈니스 인텔리전스 전문가 경영 데이터 분석가 재무 데이터 분석가 비즈니스 데이터 사이언티스트 경영 데이터 코디네이터 등
정+계+갑	**정+계+신**
경영·회계·사무분야에 종사하나 인건비·복리후생 예산 관리 분 야에서 활동을 함 직업 예시) 복리후생 예산 기획자 인건비 예산 코디네이터 복리후생 예산 컨설턴트 복리후생 비용 관리 전문가	경영·회계·사무분야에 종사하나 경영·회계·사무분야의 원론적인 학문활동을 함 직업 예시) 회계학 교수 경영학 교수 회계 연구원 경영 연구원

복리후생 예산 및 재정 관리자 등	재무 연구원 등
정+병+갑	**정+병+신**
경영·회계·사무분야에 종사하나 경영·회계·사무분야의 학원 운영 관련 활동을 함 직업 예시) 경영학 학원 원장 회계학 학원 원장 경영학 학원 교육 프로그램 코디네이터 회계학 학원 교육 프로그램 코디네이터 재무학 학원 교육 프로그램 코디네이터 등	경영·회계·사무분야에 종사하나 경영·회계·사무분야의 데이터 관리 활동을 함 직업 예시) 경영 데이터 관리자 회계 데이터 관리자 재무 데이터 관리자 ERP 시스템 관리자 경영/재무/회계 데이터 마이닝 전문가 등
정+계+병	**정+갑+신**
경영·회계·사무분야에 종사하나 운영/관리 전략 수립 및 이행 기법 연구 관련 활동을 함 직업 예시) 운영 전략 연구원 경영 전략 연구원 비즈니스 전략 연구자 경영 기법 연구원	경영·회계·사무분야에 종사하나 경영·회계·사무분야의 데이터 추출 교육 활동을 함 직업 예시) 경영/회계/재무 데이터 교육 강사 비즈니스 데이터 교육 전문가 데이터 마이닝 교육 강사

경영 효율화 연구원 등	ERP 데이터 교육 강사 경영 정보 시스템 데이터 활용 교육 강사 등
정+계+병+갑	**정+계+병+신**
경영·회계·사무분야에 종사하나 경영·회계·사무분야의 인적자원 관리 활동을 함 직업 예시) 인사 담당자 채용 관리자 인재 개발 전문가 직무 설계 전문가 HR 전문가 등	경영·회계·사무분야에 종사하나 경영·회계·사무분야의 복리후생 증진과 관련된 활동을 함 직업 예시) 복리후생 컨설턴트 직원 복지 프로그램 관리자 복리후생 기획자 복리후생 운영 매니저 복지 정책 전문가 등
정+계+갑+신	**정+병+갑+신**
경영·회계·사무분야에 종사하나 경영·회계·사무분야의 원론 교 육 활동을 함 직업 예시) 경영학/회계학/재무학 강사 경영학/회계학/재무학 교육 코 디네이터 경영학/회계학/재무학 교육 컨 설턴트	경영·회계·사무분야에 종사하나 경영·회계·사무분야에서 데이터 를 기반으로 운영 관리 효율 증 진에 대한 교육활동을 함 직업 예시) 데이터 분석 교육 전문가 경영/회계/재무 데이터 교육 강 사 비즈니스 인텔리전스 교육 강사

경영학/회계학/재무학 교육 커리큘럼 개발자	데이터 기반 운영 관리 컨설턴트
경영학/회계학/재무학 교수 등	경영 정보 시스템 교육 강사 등
정+계+병+갑+신	
경영·회계·사무분야에 종사하나 경영·회계·사무분야의 행정 총괄 담당자로 활동함 직업 예시) 경영/회계/사무 행정 총괄 관리자 행정 이사 경영/회계/사무 행정 디렉터 행정 총괄 매니저 행정 총괄 책임자 등	

경금용신

희신: 정화

용신의 상극기신: 갑목

용신의 음양기신: 신금

희신의 상극기신: 계수

희신의 음양기신: 병화

경금용신
경금용신이 환경·에너지·안전분야에 종사한다면
경+정
환경·에너지·안전
-> 에너지·자원

-> 광물·석유자원개발·생산 -> 광물자원개발·생산 직업 예시) 광산 엔지니어 지질학자 광물 자원 탐사 전문가 광물 자원 분석가 채광 기술자 등	
경+정+갑	**경+정+신**
환경·에너지·안전 -> 에너지·자원 -> 광물·석유자원개발·생산 -> 석유자원개발·생산 -> 생산시설구축 직업 예시) 생산 시설 설계 엔지니어 제조 공정 엔지니어 생산 라인 설치 전문가 플랜트 엔지니어 산업 엔지니어 등	환경·에너지·안전 -> 에너지·자원 -> 광물·석유자원개발·생산 -> 자원처리 -> 생산품질관리 직업 예시) 석유 정제 기술자 화학 처리 기술자 생산 품질 관리자 품질 보증 엔지니어 자원 처리 품질 검사원 등
경+정+계	**경+정+병**
환경·에너지·안전 -> 에너지·자원 -> 광물·석유자원개발·생산	환경·에너지·안전 -> 에너지·자원 -> 에너지 관리

-> 석유자원개발·생산 -> 계발계획수립	-> 에너지절약서비스 -> 에너지현황파악
직업 예시) 석유/광물 탐사 계획자 자원 평가 전문가 석유 시추 계획자 지질 데이터 분석가 석유 공정 설계 엔지니어 등	직업 예시) 에너지 사용 실태 조사원 에너지 데이터 분석가 에너지 모니터링 전문가 에너지 관리 시스템 운영자 에너지 효율성 전문가 등
경+정+갑+계	**경+정+갑+병**
환경·에너지·안전 -> 에너지·자원 -> 에너지 관리 -> 에너지절약서비스 -> 에너지 절감안 도출	환경·에너지·안전 -> 에너지·자원 -> 에너지 관리 -> 에너지절약서비스 -> 시공관리
직업 예시) 에너지 절감 컨설턴트 에너지 절약 전략가 에너지 절약 프로젝트 매니저 에너지 절약 솔루션 전문가 에너지 절약 정책 전문가 등	직업 예시) 에너지 절감 시공 엔지니어 에너지 절약 시공 안전 관리자 에너지 절약 시공 감독관 에너지 절감 시공 설계자 시공 비용 분석가 등
경+정+신+계	**경+정+신+병**
환경·에너지·안전 -> 에너지·자원 -> 신에너지	환경·에너지·안전 -> 에너지·자원 -> 신에너지

-> 연료전지에너지생산 -> 연료전지발전사업 계획 수 립 직업 예시) 연료전지 프로젝트 매니저 연료전지 시스템 설계자 연료전지 경제성 분석가 연료전지 사업 전략가 연료전지 인프라 계획자 등	-> 연료전지에너지생산 -> 연료전지발전설비감리 직업 예시) 연료전지 시공 감리자 연료전지 설비 점검원 연료전지 프로젝트 감리자 연료전지 설비 안전 감독자 연료전지 시공 품질 관리자 등
경+정+갑+신	**경+정+계+병**
환경·에너지·안전 -> 에너지·자원 -> 재생에너지 -> 바이오에너지생산 -> 바이오 원료·연료 수급 직업 예시) 바이오 연료 수급 관리자 바이오매스 공급 체인 관리자 바이오 원료 구매 담당자 바이오 원료 품질 검사원 바이오 원료 재고 관리자 등	환경·에너지·안전 -> 에너지·자원 -> 재생에너지 -> 바이오에너지생산 -> 바이오에너지생산환경관리 직업 예시) 바이오에너지 생산 환경 코디네 이터 바이오 에너지 생산 환경 규정 준수 관리자 바이오에너지 생산 환경 안전 감독관 바이오에너지 생산 환경 모니터 링 전문가

	바이오매스 생산 환경 보건 전문가 등
경+정+갑+신+계	**경+정+갑+신+병**
환경·에너지·안전 -> 에너지·자원 -> 신에너지 -> 연료전지에너지생산 -> 연료전지발전설비용 인프라 설계 직업 예시) 연료전지 설비 인프라 설계 엔지니어 연료전지 설비 인프라 디자이너 연료전지 설비 냉각 시스템 설계자 연료전지 설비 통합 설계 전문가 연료전지 설비 안전 시스템 설계자 등	환경·에너지·안전 -> 에너지·자원 -> 신에너지 -> 연료전지에너지생산 -> 연료전지발전설비 안전관리 직업 예시) 연료전지 설비 안전 관리자 연료전지 발전소 안전 책임자 연료전지 설비 시스템 안전 분석가 연료전지 안전 규정 준수 전문가 연료전지 설비 위험 관리 전문가 등
경+정+갑+계+병	**경+정+신+계+병**
환경·에너지·안전 -> 에너지·자원 -> 신에너지 -> 연료전지에너지생산 -> 연료전지발전설비 운영	환경·에너지·안전 -> 에너지·자원 -> 신에너지 -> 연료전지에너지생산 -> 연료전지주변장치 제작

직업 예시) 연료전지 설비 운영 관리자 연료전지 생산 시스템 운영자 연료전지 발전소 성능 관리자 연료전지 설비 운영 컨설턴트 연료전지 설비 운영 자문 전문가 등	직업 예시) 연료전지 주변장치 설계 엔지니어 연료전지 보조 장비 제작 기술자 연료전지 제어 장치 제작 전문가 연료전지 연료 공급 장치 제작자 연료전지 전력 변환 장치 기술자 등

경+정+갑+신+계+병

환경·에너지·안전

-> 에너지·자원

-> 신에너지

-> 수소연료전지제조

-> 시스템 유지보수

직업 예시)
수소연료전지 제조 시스템 유지보수 기술자
수소연료전지 제조 시스템 점검 전문가
수소연료전지 제조 시스템 성능 검사원
수소연료전지 제조 시스템 모니터링 기술자
수소연료전지 제조 시스템 긴급 수리 기술자 등

경금용신이 희신이 없을 때

경금용신	
경금용신이 환경·에너지·안전분야에 종사한다면	
경+갑	**경+신**
환경·에너지·안전분야에 종사하나 환경·에너지·안전분야에서 점검 활동을 함 직업 예시) 환경 점검 관리자 에너지 감사원 안전 검사관 환경 규제 준수 관리자 산업 안전 점검원 등	환경·에너지·안전분야에 종사하나 환경·에너지·안전분야의 첨단 기술 필드에서 활동을 함 직업 예시) 에너지 기술 개발자 스마트 그리드 전문가 에너지 저장 시스템 엔지니어 환경 IoT 기술자 안전 드론 운영자 등
경+계	**경+병**
환경·에너지·안전분야에 종사하나 환경·에너지·안전분야의 이론 연구 활동을 함 직업 예시) 환경 공학 교수 에너지 경제학자 환경 정책 연구자 에너지 자원학자	환경·에너지·안전분야에 종사하나 환경·에너지·안전분야의 자원 조달 활동을 함 직업 예시) 재생 가능 에너지 프로젝트 매니저 자원 재활용 코디네이터 친환경 물류 매니서

환경 통계학자 등	탄소 발자국 감축 전문가 폐기물 관리 전문가 등
경+갑+계	**경+갑+병**
환경·에너지·안전분야에 종사하나 환경·에너지·안전분야의 교육 활동을 함 직업 예시) 환경 교육 전문가 안전 교육 관리자 지속 가능성 교육 컨설턴트 환경과학 교수 환경 정책 교육자 등	환경·에너지·안전분야에 종사하나 환경·에너지·안전분야의 인적자원 관리 활동을 함 직업 예시) 환경 인재 개발 전문가 환경 직무 분석가 에너지 분야 인재 유치 매니저 안전 인사 정책 전문가 환경 인사 평가 전문가 등
경+신+계	**경+신+병**
환경·에너지·안전분야에 종사하나 환경·에너지·안전분야의 첨단 기술 이론 연구 활동을 함 직업 예시) 지속 가능성 기술 연구원 재생 에너지 연구 과학자 환경 나노기술 연구자 에너지 저장 기술 연구원 기후 변화 모델링 전문가 등	환경·에너지·안전분야에 종사하나 환경·에너지·안전분야의 소재/장비 관리 활동을 함 직업 예시) 환경 장비 관리자 에너지 장비 관리 전문가 에너지 소재 관리 전문가 안전 보호 장비 관리자 친환경 소재 관리 전문가 등

경+갑+신	경+계+병
환경·에너지·안전분야에 종사하 나 환경·에너지·안전분야의 신산업 교육 활동을 함 직업 예시)	환경·에너지·안전분야에 종사하 나 환경·에너지·안전분야의 산학협 력 활동을 함 직업 예시)
경+갑+신+계	**경+갑+신+병**
환경·에너지·안전분야에 종사하 나 환경·에너지·안전분야의 상용화 계획 수립 활동을 함 직업 예시) 환경 신산업 교육 전문가 지속 가능성 신산업 교육 컨설 턴트 재생 에너지 신산업 강사 스마트 그리드 교육 전문가 그린 테크놀로지 교육 코디네이 터 등	환경·에너지·안전분야에 종사하 나 환경·에너지·안전분야의 상용화 시행 관련 활동을 함 직업 예시) 에너지 신기술 상용화 전문가 친환경 제품 상용화 매니저 에너지 저장 시스템 상용화 전 문가 친환경 소재 상용화 컨설턴트 환경 보호 기술 상용화 매니저 등
경+갑+계+병	**경+신+계+병**
환경·에너지·안전분야에 종사하 나	환경·에너지·안전분야에 종사하 나

환경·에너지·안전분야의 행정/ 복리후생 관련 활동을 함	환경·에너지·안전분야에서 첨단 산업 행정 담당 활동을 함
직업 예시) 환경 행정 관리자 환경 규제 준수 관리자 에너지 정책 행정 전문가 안전 프로그램 행정 매니저 환경 법규 행정 담당자 등	직업 예시) 인공지능 환경 모니터링 행정 담당자 드론 기반 환경 조사 행정 관리자 탄소 포집 및 저장(CCS) 행정 관리자 그린 수소 프로젝트 행정 관리자 스마트 시티 환경 행정 계획자 등

경+갑+신+계+병

환경·에너지·안전분야에 종사하나
환경·에너지·안전분야의 신산업 분야 교육/행정 활동을 함

직업 예시)
탄소 관리 교육 전문가
신재생에너지 교육 코디네이터
스마트 시티 환경 교육 전문가
스마트 물 관리 교육 전문가
그린 수소 교육 프로그램 관리자 등

신금용신

희신: 임수

용신의 상극기신: 을목

용신의 음양기신: 경금

희신의 상극기신: 병화

희신의 음양기신: 계수

신금용신
신금용신이 화학·바이오에 종사한다면
신+임
화학·바이오 -> 바이오 -> 바이오의약 -> 첨단바이오의약품 개발 직업 예시) 세포치료제 개발 과학자 유전자 치료제 연구원 항체 약물 결합체(ADC) 개발자 바이오의약품 제조 엔지니어 약물 전달 시스템 연구원 등

신+임+을	**신+임+경**
화학·바이오 -> 바이오 -> 바이오의약 -> 바이오진단제품개발·서비스	화학·바이오 -> 바이오 -> 바이오의약 -> 바이오의약품생산

-> 임상 유효성 평가 직업 예시) 임상 연구원 임상시험 관리자 임상 평가 코디네이터 임상 프로젝트 매니저 의약품 안전성 평가 전문가 등	-> 바이오의약품 원료관리 직업 예시) 원료 품질 관리(QC) 검사관 원료 보관 관리자 원료 배합 기술자 원료 품질 보증(QA) 전문가 원료 수급 담당자 등
신+임+병	**신+임+계**
화학·바이오 -> 바이오 -> 바이오의약 -> 바이오진단제품개발·서비스 -> 진단제품·분석서비스 사후 관리 직업 예시) 진단제품 사후관리 엔지니어 분석서비스 사후관리 전문가 고객지원 기술 엔지니어 서비스 운영 관리자 서비스 품질 보증(QA) 담당자 등	화학·바이오 -> 바이오 -> 바이오의약 -> 바이오의약품개발 -> 인허가 정보 수집 직업 예시) 신약 인허가 프로젝트 매니저 약품 규제 정보 분석가 바이오 의약 인허가 전략가 약품 규제 문서 검토자 바이오 의약 규제 정보 연구원 등
신+임+을+병	**신+임+을+계**
화학·바이오 -> 바이오	화학·바이오 -> 바이오

-> 바이오의약 -> 바이오진단제품개발·서비스 -> 진단제품 인허가 업무 수행 직업 예시) 바이오 의약 인허가 전문가 신약 허가 신청 코디네이터 의약품 승인 과정 관리자 글로벌 인허가 전문가 진단제품 등록 담당자 등	-> 바이오의약 -> 바이오진단제품개발·서비스 -> 염기서열 분석서비스 수행 직업 예시) 유전체 데이터 분석가 NGS(Next-Generation Sequencing) 기술자 생물정보학 연구원 염기서열 데이터 관리자 시퀀싱 실험실 기술자 등
신+임+경+병	**신+임+경+계**
화학·바이오 -> 바이오 -> 바이오기술 -> 유전체정보분석 -> 진단제품·분석 서비스 안전 ·환경관리 직업 예시) 진단제품 안전 규제 담당자 분석 서비스 환경 보호 관리자 유전체 실험실 안전 책임자 유전체 데이터 보안 전문가 진단제품 환경 규제 담당자 등	화학·바이오 -> 바이오 -> 바이오의약 -> 바이오의약품개발 -> 바이오의약품 개발전략 수립 직업 예시) 신약개발 전략 전문가 의약품 개발 프로젝트 리더 의약품 라이프사이클 매니저 바이오의약품 사업 개발 전문가 글로벌 개발 전략가 등
신+임+을+경	**신+임+병+계**

화학·바이오 -> 바이오 -> 바이오의약 -> 바이오진단제품개발·서비스 -> 진단제품 분석적 성능 평가 직업 예시) 분석 성능 시험 관리자 진단제품 품질 분석가 분석 방법 개발자 성능 검증 연구원 진단제품 규격 검토자 등	화학·바이오 -> 화학·바이오공통 -> 화학물질·품질관리 ->화학물질검사·평가 -> MSDS 작성·관리 직업 예시) 화학물질 안전 데이터 시트 관리자 MSDS 검토 담당자 화학 안전성 정보 전문가 화학물질 안전 데이터 분석가 MSDS 데이터 관리 전문가 등
신+임+을+병+계	**신+임+경+병+계**
화학·바이오 -> 화학·바이오공통 -> 화학물질·품질관리 -> 화학물질검사·평가 -> 화학물질의 등록 및 평가 등에 관한 법률에 의한 유해성 심사·분류 직업 예시) 화학물질 분류 담당자 화학물질 안전성 평가자 화학물질 규제 전문가 위험성 평가 연구원	화학·바이오 -> 화학·바이오공통 -> 화학물질·품질관리 -> 화학물질검사·평가 -> 물리적·화학적특성·유해성 자료 생산 직업 예시) 물리적/화학적 특성 분석 연구원 화학물질 성분 분석가 물리적 특성 시험 코디네이터 화학물질 유해성 평가 담당자

유해성 검토 및 승인 담당자 등	화학 안전 데이터 작성자 등
신+임+을+경+병	**신+임+을+경+계**
화학·바이오 -> 바이오 -> 바이오화학 -> 특수바이오화학제품제조 -> 바이오화학LMO 안전관리 직업 예시) LMO 위험 평가 전문가 LMO 데이터 관리 전문가 바이오화학 LMO 감독관 LMO 품질 보증(QA) 담당자 LMO 안전 교육 담당자 등	화학·바이오 -> 바이오 -> 바이오의약 -> 바이오의약품품질관리 -> 바이오의약품 법규 직업 예시) 바이오의약품 법규 분석가 의약품 법규 검토 전문가 의약품 생산 법규 준수 검사관 바이오의약품 규제 정책 분석가 바이오의약품 품질 관리 규제 담당자
신+임+을+경+병+계	
화학·바이오 -> 바이오 -> 바이오의약 -> 생물학적제제개발 -> 임상시험용 의약품 생산 직업 예시) 임상시험용 의약품 조제 책임자 GMP 생산 전문가 임상시험용 배치 레코드 관리자	

의약품 제조 운영자
의약품 제조 공정 밸리데이션 전문가 등

신금용신이 희신이 없을 때

신금용신	
신금용신이 화학·바이오에 종사한다면	
신+을	**신+경**
화학·바이오 분야에 종사하나 화학·바이오 분야의 공정 구축 활동을 함 직업 예시) 화학 공정 엔지니어 바이오 공정 엔지니어 제약 공정 엔지니어 공정 개선 전문가 공정 자동화 엔지니어 등	화학·바이오 분야에 종사하나 화학·바이오 분야의 생산/제조 활동을 함 직업 예시) 제조 기술자 제조 공정 기술자 생산 기술 엔지니어 생산 라인 감독 생산 설비 엔지니어 등
신+병	**신+계**
화학·바이오 분야에 종사하나 화학·바이오 분야의 인력 관련 컨설팅 활동을 함 직업 예시) 인재 개발 컨설턴트 인력 배치 컨설턴트	화학·바이오 분야에 종사하나 화학·바이오 분야 상품 판매 계획 활동을 함 직업 예시) 화학 제품 영업 관리자 바이오 제품 마케팅 매니저

멘토링 프로그램 컨설턴트 교육 및 훈련 컨설턴트 팀 빌딩 컨설턴트 등	화학 제품 제품 매니저 바이오 제품 홍보 전문가 화학 제품 포지셔닝 전문가 등
신+을+병	**신+을+계**
화학·바이오 분야에 종사하나 화학·바이오 분야의 고객 맞춤 형 상품 상담 활동을 함 직업 예시) 화학/바이오 제품 고객 응대 상 담사 맞춤형 화학/바이오 제품 컨설 턴트 화학/바이오 제품 기술 어드바 이저 제품 데모 전문가 제품 교육 전문가 등	화학·바이오 분야에 종사하나 화학·바이오 분야의 소비자 선 호도 분석 관련 활동을 함 직업 예시) 시장 조사 분석가 소비자 행동 연구원 소비자 트렌드 분석가 제품 수요 예측 분석가 소비자 피드백 분석가 등
신+경+병	**신+경+계**
화학·바이오 분야에 종사하나 화학·바이오 분야 원료 조달 활 동을 함 직업 예시) 화학/바이오 원료 소싱 전문가 화학/바이오 원료 공급망 분석 가	화학·바이오 분야에 종사하나 화학·바이오 분야의 기초 이론 연구 활동을 함 직업 예시) 미생물학자 생물물리학자 식물생리학자

화학/바이오 원료 수급 조정자 공급업체 관리 전문가 원료 수입 전문가 등	면역학자 세포생물학자 등
신+을+경	**신+병+계**
화학·바이오 분야에 종사하나 화학·바이오 분야 실험법 연구 활동을 함 직업 예시) 실험실 기술자 시험법 검증 전문가 공정 개발 과학자 실험법 개발자 공정 최적화 전문가 등	화학·바이오 분야에 종사하나 화학·바이오 분야의 브랜드 컨 설팅 활동을 함 직업 예시) 화학/바이오 마케팅 컨설턴트 바이오 테크놀로지 브랜드 전략 컨설턴트 화학/바이오 마케팅 커뮤니케이 션 전문가 바이오의약품 디지털 마케팅 전 문가 화학/바이오 브랜드 개발자 등
신+을+병+계	**신+경+병+계**
화학·바이오 분야에 종사하나 화학·바이오 분야의 행정 업무 활동을 함 직업 예시) 연구 행정 매니저 연구비 관리 담당자 연구 지원 전문가	화학·바이오 분야에 종사하나 화학·바이오 분야 생필품 생산/ 제조 활동을 함 직업 예시) 생물의약품 제조 엔지니어 건강기능식품 생산 관리자 천연 화장품 개발자

문서 관리 전문가 학술 행정 전문가 등	비누 및 세정제 생산 기술자 에센셜 오일 제조 전문가 등
신+을+경+병	**신+을+경+계**
화학·바이오 분야에 종사하나 화학·바이오 분야 공정 시행 관 리 활동을 함 직업 예시) 식품 생산 공정 매니저 의약품 제조 공정 감독자 세제 생산 공정 설계 엔지니어 생물의약품 공정 최적화 전문가 천연 화장품 생산 공정 매니저 등	화학·바이오 분야에 종사하나 화학·바이오 분야 공정 개선 활 동을 함 직업 예시) 화학·바이오 공정 개선 엔지니 어 생산 공정 개선 매니저 Lean 제조 전문가 Six Sigma 전문가 공정 신기술 도입 전문가 등

신+을+경+병+계
화학·바이오 분야에 종사하나 화학·바이오 분야에서 기술/이론 교육 관련 활동을 함 직업 예시) 화장품 과학과 교수 퍼스널 케어 제품 교육 콘텐츠 제작자 생물의약품 교육 프로그램 개발자 화학·바이오 공정 내부교육자 의료 기기 기술 교육 매니저 등

임수용신

희신: 신금

용신의 상극기신: 병화

용신의 음양기신: 계수

희신의 상극기신: 을목

희신의 음양기신: 경금

임수용신
임수용신이 문화·예술·디자인·방송에 종사한다면
임+신
문화·예술·디자인·방송 -> 문화콘텐츠 -> 문화콘텐츠유통·서비스 -> 방송콘텐츠유통·서비스 -> 방송콘텐츠 판매 직업 예시) 방송 콘텐츠 유통·판매 매니저 방송 콘텐츠 라이선싱 매니저 방송 콘텐츠 배급 전문가 방송 콘텐츠 해외 마케팅 담당자 방송 콘텐츠 계약 관리자

임+신+병	임+신+계
문화·예술·디자인·방송 -> 문화콘텐츠 -> 문화콘텐츠기획	문화·예술·디자인·방송 -> 문화콘텐츠 -> 문화콘텐츠기획

-> 문화콘텐츠기획 -> 문화콘텐츠 생태계 분석 직업 예시) 문화콘텐츠 시장 분석가 문화콘텐츠 트렌드 연구원 문화콘텐츠 수요 예측 전문가 문화콘텐츠 정책 분석가 문화콘텐츠 비즈니스 분석가 등	-> 문화콘텐츠기획 -> 문화콘텐츠 유통 플랫폼 계획 직업 예시) 온라인 콘텐츠 플랫폼 개발자 플랫폼 사용자 인터페이스(UI) 디자이너 콘텐츠 유통 기술 기획자 스트리밍 서비스 기획자 콘텐츠 배포 시스템 기획자 등
임+신+을	**임+신+경**
문화·예술·디자인·방송 -> 문화콘텐츠 -> 문화콘텐츠기획 -> 문화콘텐츠기획 -> 문화콘텐츠 제작 인력 구성 직업 예시) 캐스팅 디렉터 제작 인력 스케줄러 기술 스태프 구성 담당자 프로젝트 팀 구성 매니저 제작 인력 관리 전문가 등	문화·예술·디자인·방송 -> 문화콘텐츠 -> 문화콘텐츠기획 -> 문화콘텐츠기획 -> 문화콘텐츠 제작 장비운용 계획 직업 예시) 촬영 장비 대여 관리 전문가 특수효과 장비 관리자 드론 촬영 장비 운용 기획자 VR/AR 장비 운영 매니저 무대 장비 운용 계획자 등
임+신+병+을	**임+신+병+경**

문화·예술·디자인·방송 -> 문화콘텐츠 -> 문화콘텐츠기획 -> 문화콘텐츠기획 -> 문화콘텐츠 이용자 소비시장 분석 직업 예시) 콘텐츠 소비 패턴 연구원 콘텐츠 수요 예측 전문가 이용자 경험(UX) 리서처 콘텐츠 이용 실태 조사 전문가 문화 콘텐츠 마켓 리서처 등	문화·예술·디자인·방송 -> 문화콘텐츠 -> 문화콘텐츠유통·서비스 -> 방송콘텐츠유통·서비스 -> 방송콘텐츠 라이센스 관리 직업 예시) 방송 콘텐츠 라이선스 관리자 콘텐츠 라이선싱 매니저 라이선스 승인 담당자 방송 콘텐츠 규제 준수 담당자 국제 라이선스 전문가 등
임+신+계+을	**임+신+계+경**
문화·예술·디자인·방송 -> 문화콘텐츠 -> 문화콘텐츠유통·서비스 -> 방송콘텐츠유통·서비스 -> 방송콘텐츠 서비스 계약 직업 예시) 방송 콘텐츠 서비스 계약 관리자 방송 콘텐츠 법률 자문가 콘텐츠 거래 계약 담당자 방송 계약 협상 매니저	문화·예술·디자인·방송 -> 문화콘텐츠 -> 문화콘텐츠유통·서비스 -> 음악콘텐츠유통·서비스 -> 음악콘텐츠 정보관리 직업 예시) 음악 데이터 아키비스트 음악 메타데이터 전문가 음악 저작권 정보 관리자 음악 콘텐츠 데이터베이스 관리자 음악 정보 보안 전문가 등

콘텐츠 서비스 계약 코디네이터 등	
임+신+병+계	**임+신+을+경**
문화·예술·디자인·방송 -> 문화콘텐츠 -> 문화콘텐츠유통·서비스 -> 방송콘텐츠유통·서비스 -> 방송콘텐츠 서비스 계획 수립 직업 예시) 방송 콘텐츠 서비스 기획자 방송 콘텐츠 프로그램 기획자 콘텐츠 서비스 스케줄러 방송 서비스 프로젝트 매니저 방송 콘텐츠 편성 기획자 등	문화·예술·디자인·방송 -> 문화콘텐츠 -> 문화콘텐츠유통·서비스 -> 음악콘텐츠유통·서비스 -> 음악콘텐츠 저작권관리 직업 예시) 음악 저작권 계약 담당자 저작권 준수 전문가 음악 저작권 법률 자문가 저작권 침해 대응 전문가 음악 출판권 관리자 등
임+신+병+계+을	**임+신+병+계+경**
문화·예술·디자인·방송 -> 문화콘텐츠 -> 문화콘텐츠유통·서비스 -> 방송콘텐츠유통·서비스 -> 방송콘텐츠 계약 사후 관리 직업 예시) 방송 콘텐츠 계약 모니터링 담당자	문화·예술·디자인·방송 -> 문화콘텐츠 -> 영상제작 -> 영상편집 -> 종합편집 직업 예시) 종합편집 감독 시니어 영상 편집자

방송 콘텐츠 계약 검토자 방송 계약 문서 관리자 방송 콘텐츠 계약 협상 후 지원 담당자 방송 콘텐츠 계약 문제 해결 전문가 등	종합편집 엔지니어 디지털 편집 전문가 종합편집 연출자 등
임+신+병+을+경	**임+신+계+을+경**
문화·예술·디자인·방송 -> 문화·예술 -> 문화예술경영 -> 문화·예술경영 -> 문화예술 인사조직관리 직업 예시) 문화예술 인사 관리자 문화 기관 채용 담당자 박물관 인재 개발 전문가 갤러리 인력 배치 담당자 문화재단 급여 및 복리후생 관리자 등	문화·예술·디자인·방송 -> 문화콘텐츠 -> 문화콘텐츠기획 -> 문화콘텐츠기획 -> 문화콘텐츠 제작 단계별 예산집행 계획 직업 예시) 콘텐츠 예산 집행 매니저 프로젝트 예산 기획자 제작비 회계 관리자 프로덕션 예산 조정자 예산 모니터링 전문가 등
임+신+병+계+을+경	
문화·예술·디자인·방송 -> 문화·예술 -> 문화예술경영 -> 문화·예술행정 -> 문화사업 기획	

직업 예시)
전통 문화사업 기획자
현대 미술 전시 기획자
지역 축제 기획 매니저
디지털 아트 행사 기획자
문화예술 소셜 미디어 캠페인 기획자 등

임수용신이 희신이 없을 때

임수용신	
임수용신이 문화·예술·디자인·방송 분야에 종사한다면	
임+병	**임+계**
문화·예술·디자인·방송 분야에 종사하나 문화·예술·디자인·방송 관련 커뮤니케이션 활동을 함 직업 예시) 문화예술 홍보 담당자 방송 PR 매니저 문화콘텐츠 소셜 미디어 매니저 예술 이벤트 커뮤니케이션 담당자 예술 저널리스트 등	문화·예술·디자인·방송 분야에 종사하나 문화·예술·디자인·방송 작가 활동을 함 직업 예시) 영화 시나리오 작가 드라마 작가 다큐멘터리 작가 뮤지컬 극본 작가 웹툰 작가 등
임+을	**임+경**

문화·예술·디자인·방송 분야에 종사하나 문화·예술·디자인·방송 분야에서 외국 자료 검토 활동을 함 직업 예시) 해외 디자인 트렌드 분석가 문화 콘텐츠 번역 전문가 외국 방송 콘텐츠 분석가 문화 교류 프로그램 자료 검토자 외국 예술 서적 리뷰어 등	문화·예술·디자인·방송 분야에 종사하나 문화·예술·디자인·방송 촬영/기록 활동을 함 직업 예시) 예술 작품 사진가 방송/무대 촬영 감독 패션 사진가 예술 행사 비디오그래퍼 웹 콘텐츠 촬영가 등
임+병+을	**임+병+경**
문화·예술·디자인·방송 분야에 종사하나 문화·예술·디자인·방송 심의 관련 활동을 함 직업 예시) 방송/영화 심의위원 광고 심의 전문가 출판물 심의 담당자 예술 작품 심의위원 음악 콘텐츠 심의위원 등	문화·예술·디자인·방송 분야에 종사하나 문화·예술·디자인·방송 장비관리 활동을 함 직업 예시) 방송/공연/영화 장비 관리·기술자 스튜디오 장비 유지보수 전문가 음향 장비 엔지니어 조명 장비 기술자 가상현실(VR) 장비 기술자 등
임+계+을	**임+계+경**

문화·예술·디자인·방송 분야에 종사하나 문화·예술·디자인·방송 관련 학문 활동을 함 직업 예시) 문화예술학 교수 미술사 연구자 공연예술학 교수 시각문화 연구원 미디어학 연구자 등	문화·예술·디자인·방송 분야에 종사하나 문화·예술·디자인·방송 분야에서 연출 활동을 함 직업 예시) 영화 감독 드라마 연출가 연극 연출가 뮤직비디오 감독 다큐멘터리 감독 등
임＋병＋계	**임＋을＋경**
문화·예술·디자인·방송 분야에 종사하나 문화·예술·디자인·방송 홍보 활동을 함 직업 예시) 영화 광고 기획자 뮤지컬 마케팅 매니저 미술 전시 홍보 담당자 문화 이벤트 콘텐츠 마케팅 전문가 예술 행사 PR 전략가 등	문화·예술·디자인·방송 분야에 종사하나 문화·예술·디자인·방송 플랫폼 비즈니스 활동을 함 직업 예시) 스트리밍 플랫폼 매니저 방송 플랫폼 운영자 예술 플랫폼 마케팅 매니저 음악 스트리밍 서비스 매니저 콘텐츠 배급 플랫폼 매니저 등
임＋병＋계＋을	**임＋병＋계＋경**

문화·예술·디자인·방송 분야에 종사하나 문화·예술·디자인·방송 인력 관리 활동을 함 직업 예시) 예술 단체 인력 매니저 방송국 HR 매니저 공연 예술 인력 코디네이터 문화예술 인재 채용 전문가 방송 제작팀 인사 관리자 등	문화·예술·디자인·방송 분야에 종사하나 문화·예술·디자인·방송 촬영 기법 연구 활동을 함 직업 예시) 드론 촬영 기법 연구원 스포츠 방송 촬영 기법 연구원 자연 다큐멘터리 촬영 기법 연구자 스튜디오 촬영 기법 전문가 심해 촬영 기법 연구자 등
임+병+을+경	**임+계+을+경**
문화·예술·디자인·방송 분야에 종사하나 문화·예술·디자인·방송 편집 활동을 함 직업 예시) 뮤직비디오 편집자 광고 편집자 애니메이션 편집자 유튜브 영상 편집자 온라인 콘텐츠 편집자 등	문화·예술·디자인·방송 분야에 종사하나 문화·예술·디자인·방송 법령 관련 활동을 함 직업 예시) 예술 저작권 변호사 디자인 특허 전문가 문화재 법령 자문가 예술 법률 컨설턴트 예술가 권리 보호 변호사 등
임+병+계+을+경	
문화·예술·디자인·방송 분야에 종사하나	

문화·예술·디자인·방송 평론가 활동을 함

직업 예시)
영화/미술/음악/연극 평론가
디자인 평론가
오페라 평론가
애니메이션 평론가
디지털 아트 평론가 등

참고문헌

1. 음양오행 (출생의 이유 | 창광명운집), 김성태 저, 한길로, 2021

2. 명리학개론, 김성태 저, 더큼, 2016

3. 자평진전평주, 오청식 저, 효정출판사, 2013

4. 궁통보감평주, 오청식 저, 효정출판사, 2020

5. 꼬인 인생의 시.발.점 (타고난 운명을 바꾼 0.3% 사주 이야기), 더큼학당 엮음, 한길로, 2021

6. 논문: 이남호 외 1인, 2018, MBTI와 사주명리의 연관성 고찰 - 외향성과 내향성을 중심으로 -, 인문사회 21